Waiting for a cup of Hot Milk Tea

一杯热奶茶
的等待 ②

詹复华◎著

中国戏剧出版社

图书在版编目（CIP）数据

一杯热奶茶的等待2/ 詹复华著． －北京：中国戏剧
出版社，2004.11
ISBN 7-104-02011-X

Ⅰ.一… Ⅱ.詹… Ⅲ.长篇小说－中国－当代
Ⅳ.I247.5

中国版本图书馆 CIP 数据核字（2004）第 120707 号

一杯热奶茶的等待2

著　　者／詹复华
责任编辑／黄艳华
文字编辑／刘　荣
封面设计／Oak
版式设计／孙　利
责任校对／书林瀚海
出　　版／中国戏剧出版社
发　　行／新华书店
印　　刷／北京市瑞达方舟印务有限公司
开　　本／880×1230mm　1/32
字　　数／148千字
印　　张／8.25
出版日期／2005年1月第1版
　　　　　2005年1月第1次印刷
书　　号／ISBN 7-104-02011-X/I·799
定　　价／18.00元

如有质量问题，请寄回印刷厂调换

目　录
c o n t e n t s

I

什么嘛？哪有这样子夸自己的？脸皮比黄子捷还厚，不对，应该是差不多厚。差点被他的乖乖外表给骗了。"哈，你很可爱吗？哪里可爱？"我忍不住打击一下他，这是我的习惯，看见厚脸皮男生就要打击。他又做出不好意思的表情，"我想，应该哪里都可爱吧。"马的，可以肯定他的脸皮比黄子捷厚了。

我目不转睛盯着他，感受他呼吸的节奏，慢慢地，我的呼吸也跟他一致了，那一刻我感觉我们离得好近，我看着他，他就像一个玩累的孩子终于安静下来，不会乱动，不会乱跑了。心里一种模模糊糊的东西慢慢落下来，落到一个安稳的地方，好踏实的感觉。孩子不会跑了，天使不会飞走了，他就在我身边，安安静静地睡着了，从前他一直守护着我，现在我开始守护着他了，嘘——你们小声点，不要吵到他。

阿问？一下子觉得好遥远哦。有一段时间我觉得，他可能真的是飞上天堂躲起来，不想再见我们这些凡人了。这封电邮是从天堂发出来的吗？我忍不住看了看电邮地址的后缀是不是@Heaven。马的，当然不可能了。又胡思乱想了。

阳光下面几百坪的土地上，全是黄玫瑰，那种温暖透明的黄色聚集在一起，心也被照耀得温暖起来。风吹过来，黄色的花海泛起动人的波浪，我看看窗外，又侧过头看看黄子捷。他也用眼角看着我，嘴角带着笑意。一丝安静的无法描述的情绪在我们中间传递，闭上眼都能感觉到。

7 朝南美洲飞去

"他在里约热内户，她在台湾。延续5年的爱被空间隔断，她以为一切从此结束。

他在阳光下流浪，背包装着思念。她凝望天空，看到爱远去的方向。

台湾——里约热内户。今天，为爱去飞吧！"

8 两枚超大炸弹

嘴里残留着奶茶的香味，心里还有一丝温暖，好像那个人还在身边。我们来分享这杯热奶茶吧！分分合合，生生死死，都与我们无关。我们一起，把奶茶喝下去吧，结束漫长的等待，让美好一直美好，温暖一直温暖，这样多好。以前是我错了，奶茶的意义不在于等待，而在于分享。结婚就结婚吧，有什么大不了的？让我握住你的手，死也不放开，好不好？

9 Life has to go on

意识再度恢复清醒的时候，四周已经很明亮了。从床上爬起来，头痛得要命，桌上摆着一张纸条，"小华，知道吗？我守了你几个钟头，目不转睛看着你，你的样子太伤心了，一边睡觉一边流泪（不信可以看看你的枕头）。我不想说别的什么，只想说别伤心，你再伤心下去，不仅是对自己残忍，也是对爱你的人残忍。忘掉痛苦吧，昨天已经过去，而明天肯定充满欢乐，所以今

天不要哭……"愣愣地站了一会儿，心里一阵酸，一阵苦，又有些甜甜的余味。

10 再见，昨天 235

"来，喝光它，然后把往事都忘了吧，我们都要好好地活下去，活得开心一点"，我举起啤酒罐，一口一口地喝下去，直到喝光为止，不知道为什么，眼睛有些湿润，是因为酒精的关系吧。突然有一种从未有过的彻悟，是的，过去的就让它过去吧，昨天只是一张张图画，慢慢地看过去，有的令人开心，有的令人落泪，那都与今天无关了。从现在开始，我要努力什么也不想，面对明天的一切。

11 绝版礼物 250

打开盒子，里面居然是一个娃娃，娃娃的样子……这个神情……对了，很像小宝。外套上印了一个大大的HOT，里面的T恤也隐约有一行字。把外套打开，T恤上印着一行英文：Milk Tea Inside！我顿时愣在那里，不知所措，不知道该哭还是该笑，忍不住给了小宝两拳，这小子太可恨了。

1
Waiting for a cup of Hot Milk Tea

甜的，酸的

办公室里够乱的，上上下下都为了新近的大案子忙得不可开交，我这个新手设计师也被委以重任，产品包装、海报、手册全由我包办。连着一个星期没睡一个好觉，坐在办公室里就像梦游。不想那些烦心的事情了，工作无论如何要做完。

从椅子上坐起来，腰痛得要死，看看表已经快10点了，今天就先做到这里吧，罗马不是一天建成的，太压迫自己也不好，要偷懒的人总能找到借口，呵，这是我的专长。走到窗边，看看窗外的夜景，意外地看到一部银灰色奥迪跑车，心跳陡然开始加速，

难道……

手机响了起来，按一下接听，听到的是一个熟悉的声音，"还没下班吗？Office Lady。别让白马王子等得太久噢。"

真的是他，心里有怪怪的感觉，我说："谁要你等了？笨蛋，你来了多久？"

"不记得了，好像有一个世纪了吧。"虽然见不到他的表情，我一样可以想像他可恨的笑容。

我笑着说，"好了啦，我这就下来解放你，你原地立正不能乱动噢。"

冲进洗手间，镜子里的我神情憔悴，两个黑眼圈是连续熬夜的恶果，头发乱糟糟的，令人安慰的是眼睛还有点神采，浅蓝色T恤加水磨蓝牛仔裤好像也太随便了一点，好歹现在也是上班族了，不管他了，反正他认识我的时候我也不会比现在漂亮。抱着自暴自弃的心态，我胡乱整理了一下头发，跑出办公室。

黄子捷斜靠在车门上，头发扎成马尾，天蓝色竖条衬衫配浅灰西裤，看上去清爽潇洒。看到我气急败坏冲出来，他笑着走过来，把怀里的一大束黄玫瑰递给我说："早知道你这个样子，我就不用穿这么整齐了，真是浪费。"

要死了啦这个坏蛋，一下子被他戳到痛处，又不知道怎么反驳，只好鼓着嘴巴不出声。突然一阵温暖隔着衣服透过来，他紧紧抱住我，在我耳边轻轻地说，"别生气，其实我就喜欢你这个样子。"我抬头望着他，他的眼神满是温柔，看来不像是说谎，算了，原谅他吧。我点点头说，走吧。

黄子捷发动跑车，我抱着黄玫瑰坐在驾驶座旁发呆，他拍拍我的头，"怎么？感动得没话说了？"我瞪了他一眼，"才不是，我在想把花扔出去会不会污染环境，哼！"他吹了声口哨，似笑非笑地看着我，好像在挑战我的耐性，我干脆扭过头去不理他。

其实刚刚我真的是有点感动，一点点，不过这一点点感动又被他气得飞走了，这个家伙，真不知道他在想什么。也许我们两个都是不按牌理出牌的类型，像两个小孩子在玩一场没有规则的游戏，而碰巧我们两个都赢了，呵呵，还真有这么好的事。

夜风徐徐吹过来，发丝在脸上拂过，有一种格外温柔的感觉，笑意慢慢从我心里浮现，这一刻平静的幸福笼罩着我，我想我应该表示感谢，谢谢你，白胡子上帝。我忍不住笑起来，转过头去，用手拍拍黄子捷的头，"你一定要好好爱我噢，听到没有？不然上帝也不放过你。"

黄子捷被我神经质的举动吓了一跳，差点把跑车开去撞栏杆，然后惊魂未定地说，"知道了。"

我们吃的是日本料理，已经不是第一次来了，店长还过来跟黄子捷打招呼。我漫不经心，咬着一个鳗鱼寿司，黄子捷看着我

甜的，酸的

微笑，好像有话要说的样子，我被他盯得莫名其妙，"你是不是有话要说？"他点点头，说："我爸爸要我去美国。"

我愣了一下，差点把手指咬到，装作若无其事地问："然后呢？"

"他说公司的生意忙不过来，我已经毕业了，应该帮他做点事情。"他撇撇嘴，一副无可奈何的样子。

"那你就去嘛。"心虚的声音小得连我自己也听不到，所谓言不由衷大概就是指我这个样子吧。

"你真的希望我去吗？"黄子捷用探询的眼光看着我，发现我好像不打算回答的样子，又自言自语说："可是我不想去，你知道为什么吗？"他伸手摸摸我的头发，"在美国可喝不到热奶茶，应该说，没有我想喝的热奶茶。"

"那你留在台湾打算做什么？"我跳过他的探询，抛出一个问题，把他留在台湾的事实当成定局。

"我想开一间咖啡厅，名字就叫黄玫瑰，你说好不好。"不知道他是不是开玩笑，我摇摇头说："不好，一点都不好，这么老土。"

"这样啊？没办法罗，只好再想一个名字，专业人士的意见还是值得考虑的。"他笑着说。

车停在我住的公寓门口，黄子捷很有风度地为我打开门，"不请我上去坐坐吗？"他用挑衅的眼神看着我，"不了，我要睡觉了，坏蛋。"我跑进一楼大厅，按下电梯，"明天见。"我说。黄子捷一脸无辜的表情，"好吧，晚安，做个好梦，一定要梦到我噢，呵呵。"

走进房间，我一下子倒在床上，好累啊！不过心情有点轻微的兴奋，睡也睡不着，对了，先去洗澡。丁冬，门铃这时候响了起来。不会是那个死人头吧？其实我还真的有点希望是他，太矛盾了，马的，女人一恋爱就这么神经兮兮的，不是吗？我轻手轻脚走出去，猛一下打开门，像家家乐开奖一样，看门后面是什么宝贝。

哦，原来是梅芬，她就住在我楼下。还来不及表达我的失望和惊讶，梅芬就直接冲进客厅，"我就知道你还没睡，越来越像夜猫子了。那。"她递给我一盒乳酪蛋糕，顿时冲淡了我的失望，我笑着摸摸她的脸蛋，"还是你对我最好。"梅芬想也不想就脱口而出，"废话，这还用说吗。"

我喜滋滋地冲了一杯热奶茶，"梅芬，你要吗？"我对着她扬了扬手里的杯子，"嗯，来一杯吧？"

我们并排坐在沙发上，我喝一口奶茶，吃一口蛋糕，自得其乐的样子，"工作还好吧？"我问梅芬，她在一家服装公司做企划，平时也忙得不可开交。"还好啦，就是太累了。"梅芬若无其事地说。

"是啊，真的是太累了。"我随声附和，真的是有点累了，我

一躺下脑子里就全是设计稿，稿纸在我眼前飞过来，飞过去，今天晚上做梦大概也会梦见稿纸吧。"不过我还是蛮喜欢这份工作的。"我补充了一句。

"知道你敬业啦。"梅芬有气无力地说，"你的黄子捷呢？怎么样了嘛？你们？"

"什么你的我的嘛，他是他，我是我，你的毅东又怎样了？"我反问她。

"赖皮！明明是我先问的，你说不说？"梅芬举起双手作恐吓状，打算随时实施挠痒大作战。我一手端着奶茶，一手拿着蛋糕，根本全无还手之力，这小妮子摆明了要乘人之危，我只好投降了，"好了大姐，我先说，我先说，我说完你也要说噢，不准赖皮。"梅芬得意地笑着说，"我又不是你，干吗要赖皮？"

"什么意思嘛？"我喝了一口奶茶，清理了一下嗓子，"事情是这样的，我们今天吃了一顿饭，然后他送我回来。"

梅芬睁大眼睛问，"然后呢？"

"然后？然后就没有了，就是这样子。"我气定神闲地说。

"不行，你要交代细节。"她又扬起双手吓我，这个小妮子，我简直怀疑她送我蛋糕就是别有用心的，真是。

"什么细节嘛，难道我们吃了几道菜也要说？"我忍不住抗议她的专制，同时把蛋糕送进嘴里，"我才不关心你们吃什么，感觉，你说下你对他的感觉嘛。"梅芬用期待的眼神看着我。

"感觉？没什么感觉啊。"我心不在焉地回答，梅芬不满地说："小华你太封闭自己了，这个样子你身边的人都不知道该怎么办才好。因为都不知道你在想什么啊。"梅芬的话让我愣住了。

是吗？我真的很封闭吗？可能是真的吧。我习惯把心事藏在最隐秘的地方，像小孩子收藏宝贝一样，谁也不告诉，等没人的时候就拿出来好好欣赏。幸福也好，悲痛也好，统统好像见不得光，习惯一个人面对伤口，远离幸福，这样是不是有点自私呢？毕竟世上还有这么多人关心我，我应该跟他们分享伤痛和快乐。

"喂喂，你怎么了？"梅芬拍拍我的头，担心地看着我，"是不是我说错话了？对不起，小华。"

"没有啦。"我笑着说，有点莫名的感动，就像春天的小河，第一块坚冰融化的时候，坚硬消失了，心开始被柔软的感动包围，这时幸福也越来越近了吧。

"我说给你听，你可不准笑噢！"我盯着梅芬，她举起右手，认真地说："我保证不笑，笑了是小狗。"犹豫了一会儿又加上一句，"不过实在忍不住也没办法的啦。"

什么嘛，说了跟没说一样。我想了一会儿说："真的，我也说不清楚对他究竟是什么感觉。反正就是跟他待在一起很舒服，很开心就是了，不知道这样算不算是爱。"

"算，当然算。不算才怪。"梅芬一本正经地说，真拿她没办法，扮的好像GTV的爱情专家一样，"那你的毅东怎么样？"我抛出一个问题给爱情专家。

"不行，你的还没说完呢，你说完再轮到我。"小妮子果然精明，一点亏也不肯吃。

"还有什么要说的嘛？对了，今天他说他家里要他去美国，不过他不想去。"

"哎呀，大情圣啊，他一定是舍不得你对不对？"梅芬喜滋滋地看着我。

"我怎么知道。他本来就那么叛逆，不听家里话也很正常啊。"我懒懒地说，"还有，他说要在台湾开咖啡厅。"

"咖啡厅？不错啊，叫什么名字？"

"黄玫瑰，土死了，这个名字。"我说。

"啊，你还不承认，他在医院里不是说过黄玫瑰最像你吗？天哪，真浪漫。"梅芬一副陶醉的样子，推了我一把，"全世界都知道，就你不知道，你是木头人耶。"

"是吗？"我嘀咕了一声，梅芬又瞪了我一眼，"小华你要主动一点，把心情放开知道吗？千万别错过噢。"

"知道了。"我老老实实地说，梅芬满意地点点头。

"我跟毅东就很平常了，反正就是习惯了，习惯有他的日子。每天都见面，可是早上看着他出门的时候，还是有点舍不得。毅东每天训练完就回来，因为超速被警察抄了几次牌，我骂他不小心，他就很无辜地说，我急着回来见你啊梅芬，说得我心都软了。"

我惊叫了一声天哪，"梅芬，你太幸福了，只羡鸳鸯不羡仙说的就是你们啊，受不了啦，受不了啦。"我抓过梅芬的肩膀，作势要亲她的脸蛋，她一把推开我，不屑地说："才不给你亲，只有毅东才能亲我。"

"你这个小坏蛋，存心刺激我是不是。"我捂住胸口扮出痛苦的样子，"被你害得心脏病发了。"

"噢对了，大哥要我们明天去聚会，你知道吗？"梅芬说。

"知道，大哥打电话给我了，放心啦，我会去的。"我点点头说。

我们胡乱说了一通，梅芬就下楼了，剩下我躺在床上胡思乱想，心情却格外的轻松。梅芬的幸福感染了我，看着她被爱情陶醉的样子我也开心。每个人都有自己的幸福，虽然形式不一，但终究会到来，而幸福到来的那一刻，心里一定会惊觉，"这就是幸福啊！"我呢？幸福来到了吗？我想，就算没来，也离我不远了吧，我听得到幸福拍动翅膀的声音。

第二天是周末，上午狠狠地睡了一觉，懒洋洋地待在被子里，

"铃——"电话响了起来，懒懒地伸出手拿起话筒，"喂——"

"小华啊，你在干嘛？大家都到了，你不会还在睡觉吧？"是梅芬的声音。

"啊？"我吃了一惊，赶紧从床上坐起来，"没有没有，我这就来，你这个死人头怎么不早点叫我嘛？"

"我一大早就出去了，你也不想7点钟就被我叫醒吧，好了啦，快点行动吧，懒虫。"我还来不及回应梅芬就把电话挂了。

死了死了，这下全世界都会骂我懒虫了，我的淑女形象全毁了。淑女形象？我有吗？没有，所以无所谓啦，反正形象已经坏到极点了。不过要抓紧时间倒是真的，不然等我赶去大概没什么好吃的剩下给我了。

用突击队的速度洗漱完毕，我冲下楼，驾起老旧的摩托车，朝着霞云坪的方向飞奔。突然想起来电影里面，刘德华驾着摩托车在高速路上飞奔，赶去见爱人最后一面，一副义无反顾的样子。

等我赶到的时候，大家集体数落了我一通，吴宇凡这个死人头还叫我飞车小太妹。再次相聚的感觉真好，我问吴宇凡："大哥呢？"

"被人拐跑啦。"吴宇凡神神秘秘地笑，"过来吧，我带你去看今天聚会的主角。"

大哥跟毅东他们站在一辆黑色丰田车旁边不知道说些什么，

他们中间站着一个女孩子，看背影不像是梅芬，"那个是谁啊？"我指指那个女孩，"大哥的特邀嘉宾噢，你去问他吧。"

"嗨！老大，几天不见，越来越帅了噢。"我对着大哥说。

大哥不好意思地笑，摸了摸后脑勺，"小华你可来了，我跟你介绍一下，这是我女朋友茵琪，这是小华。"

女朋友？天哪，难怪吴宇凡这么神神秘秘的。"大哥，这真的是你女朋友？"马的，我在说什么啊？该死。大哥果然涨红了脸，认真地告诉我，"真的，真的是我女朋友。"

"小华姐你好。"茵琪对着我伸出手，我呆呆地跟她握手，咦？好像在哪里见过。对了，毕业舞会。"我想起来了！"我大叫了一声，"毕业那天就是你跟大哥一起跳舞的对不对？对不对？"

"对啊。"茵琪笑着点点头，看上去很大方，反倒是大哥红着脸，一副不好意思的样子，我不怀好意地问："大哥你脸红什么啊？你觉得有女朋友很丢人是不是？"

"不是不是，当然不是，怎么会呢？"大哥急得两手乱摆，呵呵，大家全都在取笑他。毅东说："小华你就放过大哥吧，呵呵。"

我走过去拍拍大哥的肩膀，好好鼓励了一番，不过看他幸福得一塌糊涂的样子，好像也不需要我鼓励了。

"梅芬呢？"我问毅东，"她跟佳涵去准备材料了。就在那边，那条小溪旁边。"

坐在小溪旁边跟梅芬聊了一会儿，主要是谈论大哥，大家都由衷地为他开心。最后一个黄金单身汉也沦陷了，呵呵，现在个个都是神仙眷属了，梅芬随口问了一句："阿问现在怎么样了？有消息吗？"

是啊，阿问究竟怎么样了？最善良的天使现在是最不幸福的人，他还好吗？

大家围在一起闹哄哄地烧烤，烤鸡翅膀是最受欢迎的，不知道是不是受周星驰的影响，他不是唱过"烤鸡翅膀，我最爱吃"吗？吴宇凡手忙脚乱地对付一个小小的鸡翅，佳涵瞪了他一眼说："笨蛋，别浪费材料了，还是等我烤给你吃吧。"吴宇凡露出一脸傻笑，眼睛都看不见了。毅东烧烤的手艺看起来最好，不过我没办法证明，他烤出来的鸡翅膀都奉献给梅芬小姐了，梅芬小姐问我："你的黄子捷呢？怎么不把他叫来？怕被拐走啊。"

"要死了你，我才不要像你们这么肉麻，开个夫妻档，一个烤来一个吃，好快乐呀好快乐，哼！"我强硬地反击了梅芬的八卦问题，不小心又得罪了另一对夫妻档。佳涵扭过头来说："小华，你这么说可就不对了……"在她继续发挥之前，我赶紧拱手求饶，"我错了我错了，你们人多势众，不跟你们争了，哎，大哥呢？"

大哥远远的在树林边，跟茵琪不知道在倾诉什么甜言蜜语。远远地看过去，他们还真的蛮般配的，那幸福滋味连我也能闻到。

"喂，过来啦大哥，情话留着晚上再说吧，鸡翅膀吃完可就没有了噢，你也不想大嫂饿肚子吧？"吴宇凡高声叫着，我们全都笑成一团。

大哥走过来，茵琪挽着他的手臂，半分钟的距离也不舍得分开吗？应该是吧，大哥的眼神也一直停留在他的小情人身上，这眼神看起来这么熟悉，对了，像阿问。阿问总是一刻不停地盯着若兰，连一个小小的动作也不放过，眨眼的时间也怕天使突然飞走，把爱藏在眼神里面，不止是大哥和阿问吧？还有黄子捷那个坏蛋，也曾流露这样的眼神，哎呀，不能想他，一想就乱了，今天干吗不把他叫来，真是的。自己身上总是充满莫名其妙的固执，傻傻的固执，好像刻意一个人行动，是因为天生坚强吗？大概不是的，可能我的心就像一个漏水的杯子，装不下太深的柔情，刻骨铭心的自卑让这个笨女人不敢太接近心爱的人，黄子捷，可能不止是黄子捷，在我眼里他们都是玻璃做成的天使，一不小心就会碰碎，我这个自私顽固的小女人怎么会有资格拥有呢？上帝好像对我溺爱过度了，不但派他心爱的天使来看护我，还把天使的爱情也赠与我，我真有这么好吗？

"小华，小华你怎么了？"梅芬碰碰我的手臂，"你最近很喜欢发呆耶，十足恋爱中的女人。"

"什么嘛。"我嘀咕了一句，一时又想不起来怎么反驳。

　　大哥走到我们旁边，从后面捏了一下吴宇凡的脖子，"要不是佳涵在这里，哼哼！"大哥酷毙的样子博得了我们一致鼓掌，也不是全部人啦，其实只有我和梅芬鼓掌，谁叫吴宇凡的嘴巴不老实？偏偏佳涵这么纵容他，没办法。

　　"大哥，交代一下恋爱史怎么样？"佳涵直截了当地说，大哥顿时手足无措，又不能用武力恐吓佳涵，只好望着茵琪求助，她抿着嘴微笑的样子真是超可爱的，难怪大哥抵挡不住火力。我抱着帮大哥解围的好意说道，"这个我帮大哥解释嘛，肯定是茵琪对着大哥微微一笑，大哥就魂不守舍，然后穷追不舍，茵琪迫于无奈，只好委身于大哥了，对吧，茵琪？"看大哥对我怒目而视的表情，看来我的好意全被误解了。

　　茵琪保持着最具说服力的笑容说："不是的啦，应该是我穷追不舍才对，呵呵。"哇，真是太佩服茵琪了，宽容大度，内在绝对比外表要成熟得多，所以清楚自己想要的是什么，比我高明太多了，她的性格跟大哥真是天造地设，大哥这么多年的单身，就是在等茵琪这样的女孩子出现吧？我想起古老的"另一半"学说，好像真的有那么一点道理。

　　大哥眼看就招架不住了，自言自语地说："鸡翅好像不够吃了，我去车上把另外一箱搬下来，宇凡，你过来帮忙。"说完，提着吴宇凡的脖子就往外拖。惨了宇凡！我心里默默的为他祈祷，希望大哥下手不要太重，呵呵。

聚会结束了，我回到公寓，躺在床上不想动，心情还是挺好的，本来嘛，今天也算是阳光灿烂的了，只是有一点点，一点点感伤的气氛，因为梅芬提到了阿问。阿问，你在哪里呢？我不止一次想起乡公所，长椅上等待天使的痴情阿问，那个阿问永远也不能从我的记忆中消磨掉，他的姿势，他的表情，想起来就像在昨天刚刚发生，清晰无比。那对忧郁的内双眼，现在正看着什么呢？他还喝热奶茶吗？不管怎样，热奶茶还能带给他温暖吧，想起这一点，感觉好像我就在他身边，我们并排坐在乡公所的长椅上，谈论热奶茶和天使，这样想了一会儿，我的心里也慢慢温暖起来，不再那么感伤了。

拿起电话，按下号码……"喂，若兰吗？过得还好吗？……我好想你噢，今晚我们聚一聚吧。"

"啊，小华，我也好想你……就在蓝调小镇吧，我8点钟去。"

若兰的声音甜美依然，而且听上去很快乐，现在的她还像以前那个天使吗？答案今晚就揭晓，好了，先睡一觉再说。

眼睛睁开已经是7点了，洗一下脸，把头发稍微做做整理，想到要去见若兰，下意识地看了看身上的衣服，街舞T恤加上滑板裤，实在好看不到哪里去，反正不管穿什么也比不上若兰的啦，放弃徒劳的挣扎吧。还是安守本分，继续我的休闲风格罗。

推出摩托车，我想想，蓝调小镇是在哪个方向？马的，我怎么不问若兰蓝调小镇在哪里？我还以为自己知道地方，要出发了才发现自己其实不知道，真是有够烂的。

电话里若兰笑个不停，"小华，我还以为你知道地方呢，呵呵。"就知道她会这么说。

蓝调小镇是一个酒吧的名字，我走进去的时候8点还差5分，一进去就看到若兰坐在吧台旁边，身边围了几个男人，若兰好像正在跟他们谈笑，看到我就挥手，"这边啊，小华。"

我走过去，若兰跟那几个男人介绍说："这是我姐姐，小华。"一个穿黑色丝衬衫的男人说："看不出来噢。"马的，欠揍啊，什么意思嘛？我瞪了那个男人一眼。"不理你们了，我们去那边坐吧。"若兰拉着我去找位子，那群男人看上去失落得很，活该。若兰今天穿一件艳黄的印花小T恤，配上碎边的牛仔短裤，唉，如果我是男人，看到若兰也会流鼻血的。

我们在角落找了个位子坐下，若兰问："喝什么？这里可没有热奶茶喔，呵呵。"我也笑笑，"我才不会跑到酒吧来喝奶茶，我们喝红酒好不好？"还是红酒最适合女人。

我和若兰先干了一杯，"最近在忙什么？跟帅哥还好吗？"若兰问。我刚准备问她，谁知道被她占了先机，只好含混地说："还好啦，工作蛮忙的，不过还算开心。"

"帅哥对你好不好？不好的话我帮你教训他。"若兰一本正经地说，我被她的表情逗笑了，一口酒差点呛到气管里，"什么跟什么嘛，有我教训他已经够惨了，再加上你他不是要跳楼了，呵呵。"我笑着说，若兰捂着嘴，又拍拍胸口，看来她也遭到跟我同样的命运，差点被呛到。

"说真的，帅哥还是很不错的噢，小华你可不能放过他。"若兰看着我说，"知道了啦，怎么你们各个都这么说？说的好像我很差劲一样，哼。"我忍不住埋怨起来。

"当然不是啦，小华最棒了，帅哥能骗到你是他的运气，祖坟风水好嘛。"若兰说的跟真的一样，不过，可能确实也是真的，我本来就不是很差劲嘛，是吧？怎么觉得好像不大理直气壮？呵呵。

若兰的话可真多，叽叽喳喳很开心的样子，我也陪着她开心，本来嘛，看着若兰说话就是一种享受。恍惚之间，我好像正在代替阿问看着他的天使，心境渐渐跟他重合，那个目不转睛盯着若兰的痴情阿问就在我旁边，跟我一起分享这一刻的平静。阿问，你的天使还是那么迷人噢，你怎么舍得不回来？

"有阿问的消息吗？"我随口问了一句，说出来就开始后悔，马的，我怎么总是管不住自己的嘴巴？有消息的话若兰肯定会告诉我，她没说肯定就是没消息嘛，我真是笨死了。叽叽喳喳的若兰一下子就安静下来，摇摇头，侧着头盯着酒杯发呆。都怪我，这

样对若兰太残忍了，人家已经够伤心了，我还要往伤口上撒一把盐，该死！

"有时候我想，"若兰端起酒杯，"他可能永远不会回来了。"我鼓起勇气看着若兰的眼睛，没有眼泪，只有平静的悲伤，可是这样却让我更难过。我知道，克制悲伤比把悲伤直接宣泄出来要更痛苦，这种撕心裂肺的痛苦曾经伴随我那么久，我清楚地知道每一个瞬间的感受，若兰，越坚强的人承受的痛苦就越多，你知道吗？你一定知道，我看你的眼神就知道，灵魂被撕裂的痛楚，和痛楚之后虚假的宁静，那种宁静，其实只是一种疲倦，被痛苦折磨得筋疲力尽的人就会有这种眼神，貌似平静，是因为已经无力悲伤了。

我伸出手，握住若兰的，还没说话，我的眼泪却先流下来，马的，我怎么这么莫名其妙？想安慰别人，自己却哭了。

"别这样，小华，你这样我也忍不住要哭了，我哭起来难看死了，我才不要哭。"若兰摸摸我的脸。

"对不起，若兰，我也不想这样，我只是……只是替你难过，我……"我有点语无伦次了，"我知道，我知道小华最好了，别哭，我们喝酒吧。"若兰拍拍我的手背。

我点点头，不敢出声。喝酒，就喝酒吧，我们来酒吧不就是为了喝酒吗？一时间我们两个都沉默了，酒已经喝了两支。

"其实我已经习惯了，"若兰说，"每天想着他，感觉好像他还在我身边，我甚至能闻到他的气味，感觉到他的温度，这样就没那么伤心了。"她又喝下一杯酒，"好了啦，不说这些了，你的工作怎么样？平时都做些什么啊？"

十来杯酒下肚，我已经有点神志不清了，恍恍惚惚地说："没什么啦，就是画设计稿，做文案，跟AD吵架，天天都这么过，习惯了嘛。"

"AD？什么东东啊？"若兰睁大眼睛，"噢，就是艺术总监啦，一个阴阳怪气的家伙，人还蛮好的，呵呵。"我漫不经心地说。

"你的生活蛮充实的啊，帅哥经常约你出去吗？"若兰的问题真是多得不得了。

"也不是经常啦，我哪有那么多时间，忙起来连吃饭都会忘记的。"我说。

"那可不行，身体第一，爱情第二，工作第三，听到没有？"若兰认真地对我说，看起来好像她才是姐姐。

若兰的怪论让我哭笑不得，什么跟什么嘛，她的逻辑还真奇怪，好了好了，我点头就是了。若兰对我的表现还算满意，又自言自语地说："台北的天气真糟糕。"

啊，这个人真是的，搞不懂她在想什么，阿问肯定跟我的感觉一样，他的天使一下子飞到西边，一下子飞到东边，变得比天气还快，我们这些凡人是注定跟不上的，只能羡慕地看着她飞啊

飞啊，直到撞上天堂的天花板掉下来。马的，我又在想什么嘛？干嘛咒人家从天上掉下来？罪过罪过。

"若兰你现在做些什么？平常忙不忙？"

"我做什么是秘密，不能告诉你，你可别怪我噢，不过也有点忙就是啦。"若兰又露出古灵精怪的笑容。

"什么嘛，我什么都告诉你了，你居然跟我说什么秘密，太赖皮了吧。"我忍不住大声抗议。

"不行啊，我怕你跟阿问告状嘛，我想他肯定会跟你联系的对不对？"若兰的笑容依然甜美。我却有点不知所措了，超尴尬的。都不知道该说什么好了，这个若兰，在她面前我只有丢盔弃甲的分，毫无反抗之力。

"不说就不说。"我嘀咕了一句，心虚地拿起酒杯，又灌了一口。

"两位美女，我可以坐在这里吗？"一个很有磁性的声音在我们耳边响起，是个高高的男孩子，长发染成纯金色，耀眼得很，轮廓很像 HOT 的主唱。我知趣的不出声，反正他肯定不是冲我来的，听他说"两位"美女很是言不由衷的感觉。

若兰又露出招牌式的笑容，"不行噢帅哥，这个位子好多人等着坐，要排队的，你可不能随便插队。"

"是吗？请问我排几号？"男孩子很感兴趣的样子。

"1001 号，你真的要等吗？"若兰的眉毛往上挑了一下，很俏皮的样子。

男孩子笑着说："当然要等，轮到我的时候你叫一声号码，我就会过来了。"

若兰点点头，很认真地说："好吧，你可以开始等了。"

男孩子做出ＯＫ的手势，耸耸肩膀转身走开了。

唉，若兰的魅力果然是没人能挡得住，身为女人的我都会被她吸引，那些小男生更加不用提了，不过那个1001号看起来感觉还不错的，跟若兰好像很登对，如果他们……停！停！停下！马的，我又胡思乱想了，玩什么配对游戏嘛，还好刹车刹得及时，不然我罪恶的想像力天知道会发挥到什么程度。不过想起来若兰跟阿问的组合的确有点不可思议，超安静的阿问加上超活泼的若兰，彼此却出乎意料的痴情，不可思议啊，也许他们真的就是彼此的另一半吧。

"小华你在想什么啊？"若兰拍拍我的头，"样子好怪噢，没办法，只要坐在酒吧总是有这样那样的男人跑过来，我也不想啊。"若兰误会我了，我赶紧说："不是啦，这有什么奇怪的，我要是男人的话也会跑过来骚扰你的，呵呵。"

"真的吗？要是小华来追我的话肯定会成功，我一定爱上你的。"若兰笑着说。

突然想起以前若兰说过的我跟阿问很相似的话，都爱蹲在家

里做事，都不爱出门不爱热闹，都爱喝热奶茶，呵呵，我看着若兰，心里慢慢充满温暖。

手机嘀嘀响了两声，有讯息来了，把手机拿起来，按下"读取讯息"的按钮，蓝色的屏幕上出现两行字："明天有空吗？我们见见面吧，我在龙潭等你。绍平。"

思维一个瞬间短路了，绍平？我用力地想，那个落寞无言的身影才慢慢清晰起来，他说过要再回去读书，现在怎样了？放暑假了吗？我这个自私的人，怕被勾起伤痛，一直刻意不去关心他，其实最需要关心的是他啊！这段时间，他是怎样与往事为敌，寂寞度日呢？心口突然被扯得好疼，我自以为是的善意总是伤害身边的人，绍平该是伤口最深的一个吧。

我回复说："好吧，我会去找你，明天见。"

写完短短的几个字，难以言喻的轻松又笼罩了我，太容易原谅自己了吧？也只好这样了。

若兰偏着头看我，"是帅哥吗？"她眨眨眼睛，很好奇的样子。

"不是啦，是另外一个朋友。"我尽量扮作若无其事，不知道若兰有没有发现，我的演技是出名的烂，我也不抱希望了，只能指望若兰酒喝得太多神志不清。

不知道是没看出来还是有心放过我，反正若兰没有再问下去。

回到公寓，看到门口梅芬留下的纸条："找你找不到，死丫头跑哪里疯去了？回来给我电话。"这小妮子也真是，只许她自己疯，就不许我偶尔疯一次。头痛得很，算了不打电话给她了，免得又被她数落一番。也许是酒精的作用，往床上一倒很快就睡着了，隐隐约约在梦里见到一些鲜红和铁灰的颜色，还有谁在喊叫。醒来却什么都不记得，那个白胡子上帝想要对我说些什么呢？干嘛不说清楚一点，懒得理他。头还是有点痛，昨晚喝醉了吗？我记得好像是没有，不过也难说，喝醉的人都不会认为自己醉。

胡思乱想之际，电话叫了起来，我拿起话筒，"喂——"

"嘿小妞，是我梅芬啦。懒虫还在睡觉吗？"

"哪有？我已经起床好久了。"不甘心被称作懒虫，可是昏沉的声音实在太没说服力了。

"你骗谁啊，我打了3次电话才把你叫醒。"

是吗？马的，我怎么睡得这么死？勤劳小蜜蜂的谎话被毫不费力地戳穿了，看来我只好承认自己是懒虫，也不是啊，都是因为昨天酒喝得太多。

"今天有节目没有？我们去逛街吧。"还好梅芬没继续追究懒虫的称号，她真是超可爱的。

"好啊。"我随口应了一声，突然又觉得有点不大妥当，什么不妥当？啊对了，马的，不是已经答应了绍平吗？对不起啊绍平，一不小心就把你忘到角落了，真该死。"啊那个，不是啦，我想起

甜的，酸的

23

来今天还有点事，不好意思啦，下次一定陪你。"我擦一擦额头的冷汗，赶紧跟梅芬道歉。

"噢，黄子捷约了你吗？好吧，我找别人陪我逛可以的啦，你玩得开心点喔。"我沉默着，不知道该怎么解释，梅芬已经把电话挂了，我还拿着听筒愣在那里。

黄子捷很少约我出去，只是偶尔出现，让我惊喜一下，然后又不知道消失到哪里去了。想起他温柔的笑容，还有仿佛看透一切的眼神，可能是他太了解我了吧。知道我的优柔寡断，知道我的自私和固执，所以刻意地给我留出空间，他是怕给我压力吧？我不知道，真的不知道，他是一个不可思议的人，是的，是天使，在人间一次停留的时间不能太久，白胡子上帝急于唤回自己的宠儿，好久才放一次假给他，让他到人间照顾那个一点儿也不可爱的女孩子，一定是这样的。

痴痴地想着，脸颊有些冰凉的触感，是眼泪吧？我又流泪了，为什么？最近我好像经常会哭，别人总是说我坚强，渐渐的我也以为自己真的很坚强，披着坚强的壳左冲右突，真正脆弱的心却缩在里面抽泣。

马的，够了，我拿起面巾纸擦干脸颊，别想入非非了。去洗脸，用凉水冲去纷乱的思绪，抬起头一看，又是个快乐的好姑娘，呵呵，真是有够自恋的。

Waiting for a cup of Hot Milk Tea

两列岔开的车

推出摩托车，向龙潭进发吧。

心情莫名的轻松起来，我打量着路边的风景，说起来，上次去的时候我竟没留意这么好的风景。风景好看与否，全是取决于观看者的心啊。想着这个简单的道理，路边的一棵小树看起来也特别顺眼。

有一段路两边全是树林，不是那种零零散散装点在路边的绿化树，是真正的树林噢。一眼望过去，看不透树林后边是些什么，午后的阳光也穿不透郁郁葱葱的绿意。树林的地面生满青草和雏

菊，特别柔软艳丽的感觉，好想把车停下来去上边坐坐，说不定会有一两只松鼠跳上我的肩膀，用蓬松的大尾巴扫过我的脸颊。

树林几分钟就过去了，我已经尽量开慢一点了，但是如果实在太慢摩托车又可能会倒下来，没办法。转过一个弯就是一片开阔地，全是一块一块的稻田，这样的场景在宫崎俊的电影里出现过，安静祥和的空气里面，时间也停止了流动，我的呼吸似乎也更加自然了；如果住在这里，气喘肯定永远不会发作。远远望过去，一栋孤零零的房子耸立在路的尽头，看不太真切，只看到屋顶有寺庙一样的飞檐。

从一条岔路拐进去，开过稻田中间的小路，一片竹林的背后，就是我的目的地了。我把摩托车停在竹林边，停下来才发觉阳光的酷烈，用手徒劳地挡在头上，朝着竹林里走过去，阳光渐渐柔和起来，竹子的翠绿让人有一种清凉的错觉。走完落满竹叶的小路，一个小小的湖在我眼前出现，湖岸很平，离水面大约只有半米。

我看到他的背影了，戴着悠闲的草帽，天蓝色的格子衬衣，水洗白的牛仔裤，钓鱼竿从他面前伸展出去，丝线没入水面，他也望着水面出神。

我走过去，轻手轻脚，不想破坏那份宁静，在他身边的草地坐下，也望向水面，视线跟他平行。

"来了。"绍平侧过头对我笑了一下，意味深长，我似乎明白又似乎不明白，或者不需要明白，就这样，静静地待在他身边就足够了。

绍平递给我一顶草帽，没说什么。我把帽子戴上，阳光也显得柔和了，这柔和是因为草帽，还是因为绍平？他了解我，太阳再大也不会打伞或者戴帽子，至今没晒成非洲难民实在是个奇迹。默默无言的举动，却总是适时地感动我，绍平就是这个样子。

我呆呆地看着他，他的皮肤是属于夏天的，健康的古铜色，再也不是上次痛苦的苍白，这些日子他身上肯定发生了什么吧？或者什么也没发生，时间冲淡了伤口的血迹，绍平就这样静静地任时间逝去，天生豁达的他摆一摆头，又成了我曾经最爱的那个，安定从容的绍平，不被任何事困扰，除了我这个小恶魔之外。

一阵风吹来，湖面泛起一层皱褶，竹林摇动发出沙沙的声响，几片竹叶被微风带起，落在湖面，几个涟漪散开去然后消失了，绍平的长发贴着脸颊飘动，看起来像是画里面的人物，飘逸到极点，他的表情没什么变化，好像一点也不担心鱼儿被吓跑。

"哇，这样子鱼会不会跑掉？"安静祥和的气氛一下子就被我破坏掉了，马的，我这么大惊小怪干嘛？

绍平微笑着说："不要紧的，跑得再远还是在这湖里面，总会再过来的。"看他一点也不困扰的样子，大概能不能钓到鱼也无所

谓吧？有种怪怪的感觉，年纪轻轻的绍平好像已经看破了世情，至少看得比我透吧，所以才不慌不忙地让生活继续。奇怪，这样的绍平怎么会喜欢我呢？自私，顽固，大惊小怪，不说了不说了，反正我一大堆缺点就是了。可能聪明的男孩子都会喜欢笨一点的女孩子吧，只能用这个让人沮丧的理由说服自己了。

我伸长脖子看了看绍平的鱼篓，里面空空荡荡的，"啊，你好像还没什么收获噢。"我侧着头说。

"没事啦，总会钓到的，钓鱼考验的就是耐心啊。"绍平笑着说。

耐心？我有这个东西吗？呵呵，看来钓鱼是不适合我的运动。

"而且钓鱼的真正的目标不在于钓到多少鱼，真正的目标是让钓鱼的人接触自然，放松心情。"绍平淡淡地说。

听起来很有道理的样子，绍平说的总不会错吧？心情真的开始放松，烦躁和感伤都被沉到湖底，这样的夏日午后，坐在竹林和湖水中间，坐在绍平身边，什么也不用想，只要安静地坐着，等微风一阵阵吹动，等阳光打在身旁，一种无法描述的幸福就不期然地降临了，悄无声息，但确实能感到它的存在。

感觉不到时间的流逝，不知道过了多久，浮标终于动了一下，我怕绍平没看到，赶紧喊他："快，快，绍平，浮标动了，动了。"话刚说完浮标就不动了，马的，难道鱼被我吓跑了吗？

我扯了一下头发，不好意思地说："鱼都被我吓跑了。"

绍平脸上又泛起笑容，"不是的，鱼咬钩之前都要试探几次的，刚才就是啊，它要试一下有没有危险。"

"那它是不是听到我的声音觉得危险就跑掉了？"我小心翼翼地问。

"不是啊，它只是怀疑鱼饵里面藏着鱼钩，是一条疑心很重的鱼。"绍平说。

我被他怪怪的说法逗笑了，鱼也有疑心重的？那不是有点像我吗？忍不住暗暗祈祷它不要咬钩，阿门。

浮标又动了几下，马的，这条笨鱼还不死心啊？浮标突然整个沉下去，绍平手腕一抖，鱼竿往上一拉，一条活蹦乱跳的黑鱼（抱歉，我确实不知道是什么鱼）在丝线上挣扎，绍平一手握着鱼竿，一手抓住这条笨鱼，取下鱼钩，把鱼扔进鱼篓，动作利落又熟练。我傻傻地看着，真是佩服他耶，可能是因为自己一向笨手笨脚吧。想起黄子捷那个死人头说的，我去钓鱼的话多半要被鱼钓走，马的，我有这么笨吗？不过为了安全着想，我还是打消了自己钓鱼的念头。

"你看，够耐心的话就一定会有收获。"绍平对我说，我用力地点点头，像个乖乖的国小生。

绍平的下意识里，大概一直把我当作不懂事的小妹妹吧，不

厌其烦地教我这个，教我那个，小心地守护着我远离伤害，却敞开心胸任由我伤害他，无论我做出什么刺痛人心的举动，他只是微微地笑，用宽容的眼神看着我，像看着一个不懂事的小孩。我忍不住看了看绍平的左手，自然地放着，没有颤抖，却让我的心颤抖，都是我，伤害了他的身体，伤害了他的心，可是他从容的态度总是让我产生错觉，好像我什么都没做过，什么事也没发生。

"等钓到3条鱼我们就走，我带你去一个有趣的地方。"绍平说着，眼神无比温柔。

"嗯。"我点点头，突然有种莫名的冲动，想靠在绍平的肩膀上，安静地度过这个下午。马的，不行，不行不行不行。我暗暗地骂自己，你的一时冲动伤害了多少人，你已经长大了，不能那么不负责任了。

我呆呆地坐着，自己也不知道自己在想什么，然后干脆往草地上躺下去，用草帽盖住脸。

"很闷吗？"绍平关切地问。

"不是啦，躺着舒服一点嘛。"我随口回答。

"小心一点噢，可能会有蚂蚁爬到耳朵里面。"绍平笑着说。

"真的吗？"我触电一样从草地上弹起来，摸摸自己的耳朵，好像有什么异种生物躲在里面。

"怎么会啊，呵呵。"绍平说，"骗你的啦，这里没蚂蚁的。"

绍平居然也会开这种玩笑，一下子就被他骗得措手不及。我气鼓鼓地说："我这么相信你，想不到你也会骗我，哼！"

"对不起对不起，我是怕你太闷，所以才哄你开心啊。"绍平解释说，看他的表情好像很有诚意的样子。

"算了啦。"我大度地挥一挥手，又躺下去，然后又坐起来问："真的没蚂蚁吗？"

"真的没有，相信我啦。"绍平报以一枚令人安心的笑容。

"那就好。"我嘀咕着，又躺下去，把草帽盖在脸上。过了一会儿又忍不住把草帽拿开，侧着头看看绍平，他还是那个安静的模样。转过头来看看天空，蓝得不像是真的，不知道要用多少支颜料才能涂出这样的蓝色，云淡淡的，更像是停在那里的烟雾，有风吹过的时候，才轻轻动一下身子，看上去比我还懒，呵呵。

绍平的脸浮在天上看我，眼神里有轻轻的笑意，他就这样定定地望着我，直到面容被风吹散。小茹从天空的北边飞过来，翅膀跟白云是一样的颜色，只是更加接近透明，她在天上转了一个圈子又停下来，"小华你还好吗？"我很好，真的很好。我张开嘴却没有声音发出来，痴痴地望着小茹，不知所措。"要好好照顾绍平噢，"小茹笑着说，"你是最适合照顾他的人。"不是，不是我，我急着要辩解，还是发不出声音。"我还要到南边去，"小茹用手指指前方，"绍平就拜托你了喔。"她拍拍翅膀，我看着她飞，一

直飞，飞到我看不见的地方去了，我还是呆呆地望着她消失的方向。

"小华，小华，"绍平叫我，"怎么睡着了？你看，"他把鱼篓举起来，"已经钓到3条鱼了，我们走吧。"

我揉揉眼睛，看着绍平发呆，刚才是在做梦吗？怎么会做这么奇怪的梦？小茹成了天使还记挂着绍平吗？不是不是，那只是做梦而已啦。马的，我又在胡思乱想什么？

绍平对我伸出右手，我拉着他的手站起来，"我睡了很久吗？"我问绍平。

"也不是很久啦，"绍平笑着说，"就是钓两条鱼那么久。"

"那就是很久嘛，"我反驳说，"一条鱼都钓了半天。"

"那就算很久罗，"绍平说着，把鱼竿收起来，装在袋子里面，斜斜地挎在背上，右手提着鱼篓，"我们走吧。"

"嗯。"我点点头，跟着绍平向竹林的方向走过去。阳光透过竹叶落在小路上，也落在绍平身上，看着他的背影，真像个不知忧愁的渔家少年，而我就是个白日做梦的都市小姐，突如其来，打破了这里的宁静。走到竹林外面，我把摩托车推起来，问绍平："远吗？要不要骑车去？"

"不用了，我们走着去就可以了。"绍平回答。

看上去这部摩托车跟周围的环境格格不入，满是机械和汽油的人造物在竹林和稻田之间显得突兀，绍平大概也是这样想的吧。

"前面转右，10分钟就到了。"顺着绍平的手指望过去，稻田的尽头，一排农舍静静地立在坡地上。走到再靠近一点的地方，有一个看上去旧旧的小饭馆。

"这里也会有饭馆？真是奇怪。"我问绍平。

"是啊，经常有过来度假的客人，所以就会有饭馆罗。"绍平说，"这家店的老板姓张，大家都叫他老张，人很好的。"

"是绍平啊，今天收获怎样？"一个大叔站在饭馆门口，戴着跟绍平一样的草帽。

"还可以啦。"绍平把鱼篓递给大叔看。

"小华，这就是老张，"绍平说，"老张，这是小华，我朋友。"

我点点头，扮出一个最乖巧的样子，"你好，张叔叔。"老张摇摇手说，"别叫我叔叔，就叫老张可以了，绍平没跟你说吗？"

"啊？当然有啊，他说你人很好的。"我想这个老张真的有点古怪。

"呵呵，绍平真的这么说吗？别站在外面了，进来坐吧。"老张满脸笑容看着我，样子还蛮慈祥的，不过……唉，算了，我已经习惯被人家误会了。

走进里面，看起来跟旧旧的外表大不一样，墙壁全由剖开的竹子拼起来，墙上挂着几幅字画，窗帘是用芦秆编成的，轻轻一

拉就卷上来，透过窗子可以看到稻田，还有稻田尽头的竹林。桌椅的样式都古朴简单，有一层岁月打磨出来的光泽。

"看到落款没有？这些字画都是老张的作品噢。"绍平说。

"哦，真的啊？"我跑到墙边仔细打量，弯弯曲曲的篆刻我怎么也看不懂，但是绍平说的肯定不会错的啦，我感叹道："老张你好了不起喔！"

"哪里哪里。"老张摇着头说，笑容还是蛮得意的。

"老张的厨艺更了不起，他做的糖醋鱼号称台湾第一噢……"绍平说。

"真的吗？"这个我可有点怀疑了。

"真的，老张在酒店做过主厨的。"绍平认真地对我说，看他的表情不像是开玩笑。

"好了啦，不用你替我做宣传啦，把鱼拿给我吧。"老张笑着说。

我小心地问："这种鱼也能做糖醋鱼吗？"

"当然可以。"老张转身走进一个小房间，看他的表情好像我的问题很傻一样。

绍平耸耸肩膀，在我面前坐下来。

我盯着绍平看了一会儿，心情才慢慢平复下来。怎么感觉我好像误闯了一个陌生的世界呢？像爱丽丝一样，一切都那么奇特，但是又很美好，绍平还是以前的绍平吗？我总是觉得，他身上又多了一些新的特质，但我又说不上来究竟是什么特质。

"你经常来这里吗？"我问绍平。

"是啊，经常过来跟老张聊天，我还跟他学书画呢。"绍平又笑了，"你也可以经常过来啊，我学会了可以教你。"

我对他做了个鬼脸，"等你学会我早就成老太婆了，呵呵。"

"呵呵，也许是吧，我可没你聪明。"绍平依然保持着笑容。

不好玩，逗他他都不生气的，我想。要是换成死人头黄子捷，肯定早就跟我吵得不亦乐乎了，大概这就是他跟绍平的区别吧。对了，我想起来了，绍平身上我说不出来的特质，就是一种沉静的特质，可能就是他的天性，经过一番磨难之后，在他身上更加沉淀，以至于我都觉得有点陌生了，对了，就是这个样子。绍平原本就是这个样子，安静的时候，可以让整个世界悄然无声，冲动起来，又那么义无反顾。

绍平沉默了一会儿，说："小华，我想我们还是朋友，对不对？"

天哪！怎么突然抛出这个问题？

"当然是。"我肯定地说。

"那就常过来坐坐，看看我这个老朋友，好吗？"

我抬头看着绍平，他的眼神深不可测，不知道隐藏着什么。

"好的，"我点点头，"我还想跟你学钓鱼呢。"

两列岔开的车

　　"呵呵，这个我现在就可以教你，不过你一定要耐心一点噢。"绍平笑着说。

　　"无所谓耐不耐心啊，坐在那里看看风景就行了，鱼爱上钩就上钩，不上钩就算了对不对？"我问绍平。

　　"对啊，只是我怕你看着看着就睡着了，结果被鱼给拖下去，呵呵。"

　　"什么嘛！我像是那种人吗？"我忍不住要为自己辩护，不过想起下午躺在草地上发白日梦的样子，又没那么理直气壮了。

　　"所以啊，你千万不能一个人去钓鱼知道吗？我要在旁边看着你。"绍平笑着说，这时候的语气简直就跟黄子捷一模一样。

　　"在聊什么这么开心啊？"老张端着两个盘子出来，好远就能闻到香味，他把盘子放到桌上，一盘是糖醋鱼，一盘是玉米松仁，样子超好看的。

　　"看样子好像很好吃噢。"我开始有点相信绍平的推荐。

　　"那就试试吧。"老张和绍平一起说。

　　吃了一顿超好吃的饭，我想帮老张洗盘子结果遭到拒绝，绍平说老张怕我把盘子打破，马的，我有那么差劲吗？不过我好像真的没什么洗盘子的经验……

　　"对了绍平，有空帮我整一下屋顶，后面的房间好像漏雨。"老张说。

我好奇地问："绍平你学过建筑吗？还会整屋顶？"

"没那么复杂啦，整屋顶很容易的，人人都会。"绍平说。

"那为什么我不会？"我说完就后悔了，马的，我不是在骂自己吗？"你去帮忙吧，我看你怎么整屋顶。"

绍平说好啊，他叫老张搬梯子，老张说："你不用陪朋友吗？有空再弄嘛。"

"不是啊，我朋友一定要看我整修屋顶，我也没办法，呵呵。"绍平笑着说。

阳光下面，老张和绍平在屋顶上劳作，我看着绍平脸上的汗珠，还有阳光在脸上投下的阴影，慢慢的，慢慢的，平静的悲伤从心底涌起。是啊，我曾经幻想这样的时刻，像个小妻子站在庭院，看着亲爱的人搭建我们的房子，偶尔也需要整修一下屋顶，我应该拿一块毛巾端一杯水，等他休息的时候为他擦汗，命令他喝水，满带幸福地打量亲爱的人。而现在一切都不可能了，我们站得这么近，心却无限远了，因为中间隔着另外一个人，他的样子有时模糊不清，有时清晰无比，清晰的时候我就能看到，那个人就是黄子捷。

绍平顺着梯子爬下来，我递给他一杯水，他接过杯子喝下去，对我笑一笑，充满阳光和温暖的笑容，在回去的路上我一直记得。

怀着复杂到难以描述的心情，我尽量将摩托车开慢一点，我

怕精神恍惚的时候会撞到一棵大树，成为守株待兔的牺牲品。不对，马的，我又不是兔子。路边的风景也来不及细看了，风景大概一直不会改变，变的只是人，是人的心情。

回到家才下午5点，啊？我怎么觉得好像过了100年那么久，是继续睡觉呢还是……对了，梅芬这小妮子不是要去逛街吗？现在逛得怎样了？钱包是不是又被她自己洗劫一空了？从时间来推算，她的钱包要么就是空的要么就是只剩零钱了。不管她，打个电话给她吧。

"喂——亲亲梅芬，是我小华啊。你的钱包逛空了没有啊？"

"约会这么早结束啊？享受完甜蜜就来骚扰我，还有没有人性的？我都到楼下了，等会儿上来找你。"

奇怪，梅芬的逛街旅程这么早就结束了，对了，肯定是买了一样很贵的东东，没钱逛了就跑回来啦，呵呵，肯定是这样。

"嘭嘭嘭"，这样子敲门的除了那个小妮子还有谁？人家明明安了门铃的，她就是看我这扇门不顺眼，有机会就捶两下。

"来了啦，敲门轻一点好不好。"在门被敲破之前，我赶紧跑去把门打开，又一次挽救了我心爱的门。

梅芬提着两个袋子走进来，拿了几盒化妆品摆在桌上，"大减价，所以我买多了一点。"

"你都知道我很少用这些的啦。"我说。

梅芬睁大眼睛说："知道啦，知道你天生丽质不用化妆啦。"

"什么意思嘛？什么天生丽质？我是自暴自弃行了吧。"我说。

"好了啦，这个东西你肯定喜欢了吧？"她拿出一盒比利小鸡的乳酪蛋糕摆在桌上。

"爱死你了，梅芬！"我搂着她的肩膀就想咬她一口，结果被拒绝了，我继续说："梅芬你真是太好了，我告诉你一个伟大的计划好不好？"

"什么计划？"梅芬漫不经心地问。

"我要去做变性手术变成男人把毅东轰走然后娶你做老婆。"我用最快的速度说完这段绕口令，然后走到一边去泡奶茶。

"我才不要你，这么懒，没前途。"梅芬不屑地说。

马的，我有这么糟糕吗？想到跟梅芬拌嘴多半没什么好下场，我只好原谅她了。

"喂，今天周末啊，毅东没陪你吗？"我拿起一块蛋糕。

"他在集训，两个月都不能外出，惨死了。"梅芬撇着嘴说。

"真的是惨死了。"我拍拍胸口，两个月不能外出？真是恐怖。

"为什么突然要集训啊？"我问。

梅芬说："有比赛啊，他说赢了这场比赛就能去日本比赛，然后到美国比赛，不知道是不是真的。"

"哇，太了不起了，梅芬你应该支持他的哦！"我说。

　　"知道了啦，不用你教。"梅芬不耐烦地说。送走梅芬已经是晚上9点了，真的没什么可做的了，那就睡觉好了，反正明天还要上班的。

3

Waiting for a cup of Hot Milk Tea

新来的饶舌鬼

　　星期一，最不爽的日子又来到了。没办法，想到公司堆积如山的设计稿，我头都大了3倍，不对，是30倍。马的，只能慢慢来了，蚂蚁啃骨头，总有啃完的时候嘛。有这样的说法吗？

　　走进公司才发现自己原来到得最早，原来我是这么敬业的喔，忍不住有点佩服自己。我打开电脑，继续上周未完成的描图，也不知道描了多久，反正同事一个一个都到齐了，AD从我旁边走过的时候还拍拍我的头，说加油喔。

　　昏天黑地地忙到中午，AD牵了一个男孩子走到我面前，对

不起，我不应该说"牵"，因为他不是一头牛。不过看他乖乖的样子，好像真的是被AD牵着走一样，穿着一件有帽的浅蓝上衣，头发不算太长，刚刚盖住侧脸，发质很柔顺的感觉，皮肤白皙，是那种健康自然的白色，真的就是一个阳光乖乖大男孩。

"小华，给你介绍一个新同事，林治勋。"ＡＤ指了指那个大男孩，"他就是你的新Partner，他会协助你完成你手头的案子。你们要好好相处噢。"说完就转身走了，公司里各个都忙得脚底冒烟，他也不例外。

"小华你好，叫我小宝就好了。"林治勋对我点点头。

"小宝？为什么叫小宝呢？"我问。

他做出一副为难的样子，"这个啊？我也不是太清楚，大概就是表示非常可爱的意思吧。"

什么嘛？哪有这样子夸自己的？脸皮比黄子捷还厚，不对，应该是差不多厚。差点被他的乖乖外表给骗了。

"哈，你很可爱吗？哪里可爱？"我忍不住打击一下他，这是我的习惯，看见厚脸皮男生就要打击。

他又做出不好意思的表情，"我想，应该哪里都可爱吧。"

马的，可以肯定他的脸皮比黄子捷厚了。不过我还是被他逗笑了，他很大方地搬一把椅子在我旁边坐下，拿着设计稿就开始提问。

很快就到了午餐时间了，小宝问我："你吃什么？我去帮你买。"

"这么好？"我用怀疑的眼神盯着他。

"真的这么好。"他肯定地说。

"好罗，就给个机会你表现吧，我要吃对面街日本料理店的鳗鱼盒饭，另外还要一罐7-11的热奶茶，"我说，"你现在后悔还来得及。"

"怎么会？小Case啦，鳗鱼盒饭加热奶茶就是小华小姐的最爱，我记住了，再见。"他说完就转身跑出办公室，留下我在座位上发呆。看来这个家伙还是有些优点的嘛，我想。

30分钟之后小宝满头大汗冲进办公室，举起塑胶袋对着我示意，笑容很灿烂的样子。我停下手里的描图，对着他伸出大拇指，他做了一个OK手势，然后立正敬礼说："长官，盒饭和奶茶已经带到，还有什么吩咐没有？"

"有，坐下来吃饭，还有把汗擦擦。"我忍不住笑了，递给他一张面巾纸。这个大男孩真的有点可爱哦，我想。

他接过面巾纸，笑着坐下来，把盒饭和奶茶放在桌上。我看到热奶茶有两罐，忍不住问他："你也喝热奶茶？"

"是啊，我喜欢暖暖的感觉。"

"可是现在是夏天喔，你不怕热死啊？"我说。

"不怕，你都不怕我为什么要怕？"小宝笑着说，把奶茶递给我，"再说，也没听过喝奶茶喝死的。"

什么嘛？完全没道理的，哪有这种逻辑？简直跟黄子捷一模一样。我接过奶茶，打开拉环先喝了一口。

等等，怎么他的也是鳗鱼盒饭？太奇怪了吧。

"喂，你怎么连盒饭也跟我一样，太没道理了吧？"我问他。

"噢，方便嘛，你想一下，我在料理店只要说两份鳗鱼盒饭就行了，不用说一份鳗鱼盒饭再加上一份什么什么的，那样多麻烦，"说完他又补充了一句，"再说我也没吃过鳗鱼盒饭，正好今天试一下嘛。"

天哪！怎么会有这种人？简直……简直比我还懒嘛。

"哈，这样也可以？"我说，"你还真是很……很奇怪噢。"马的，都不知道该怎么形容他了。

"吃饭了，你的话可真多。"他打开盒饭开始行动了，"嗯，也不是太难吃嘛，难怪你会喜欢。"

我突然明白了哭笑不得是什么含义，就是指我现在的状态啦，想生气又找不到借口，想笑又笑不出来，不管他的，先吃饭再说。

他扒了两口饭，又抬起头来说："对了，你知道这种鳗鱼是怎么做出来的吗？味道怪怪的。"

马的，刚刚是谁说我话多的？我终于找到生气的借口了，

"喂，你怎么话比女人还多？吃你的饭啦。"

"也没人规定吃饭不能说话啊，"他说，"盒饭真的那么好吃吗？你话都不愿意说了。"

我把奶茶罐往桌上一敲，"被你气死了，闭嘴！再说我就把盒饭扔了不吃了。"

"对不起对不起，"他赶紧摆手，"我不知道你脾气这么大的。"然后埋下头吃饭。

马的，是我脾气大吗？明明是你太让人生气了。我气鼓鼓地盯着他，用力地"哼"了一下，心里才好过一点。

吃饭吧，不要对不起我心爱的鳗鱼盒饭，这个混蛋找机会再修理他。

他也识相地不出声了，我们就默默地吃饭，吃完我才想起来，还没给他钱呢。

"对了，一共多少钱？"我问。

"算了吧，我请你。"他笑着说。

"那可不行，钱一定要给你。"我固执地拿出钱包。

"怎么不行？你是前辈嘛，再说请个盒饭我还是没问题的，别这么看不起我嘛。"他说。

为什么我总是被他弄得无话可说？我闷闷地想。哎呀我太笨了太笨了笨死了，说不过这个混蛋。算了吧，看他的样子还蛮有

诚意的，就让他荣幸地请我一次好了，最多下次我请他罗。

工作起来时间过得太快了，眼看一天又快结束了，来不及收尾的工作还有一大堆。小宝还算有点用处，有他在，我的工作进度快了不止一倍。

下班时间又到了，我拍拍小宝的肩膀，他把头从一堆设计稿里抬起来，"什么事？"

看他茫然无神的眼睛就知道，他也累得快不行了，差不多跟我一样麻木了，我说："你先下班吧，剩下的我来做就可以了。"

他瞪着眼睛说："那怎么行？你不走我也不能走啊。"

我拍拍桌子，"为什么不行？叫你先走你就先走嘛，不听话小心我明天跟ＡＤ告状。"

我摆出威胁的表情，他说："你当我吓大的啊？反正我不走，除非你先走，再说我也知道你不会告状的啦。"

"哈，你怎么知道？我偏要告给你看。"我盯着他说。

"呵呵，"他露出可恶的笑容，"我知道你是嘴硬心软，肯定不会做这么恶毒的事情。"

"哈，我的优点全被你知道了，怎么你的优点我一个也没看见？"我嘀咕着。

"你视力不好嘛，戴上眼镜就能看见了，呵呵。"

哎算了算了，反正说不过他，只好随便他罗，谁要他那么爱折磨自己？

天色渐渐暗下来，办公室也越来越安静，同事一个个走了，各个走的时候都说："小华又加班噢，好可怜……"

我没心思跟他们拌嘴，只好有气无力地回答："是——啊。"小宝躲在一边偷笑。马的，笑什么笑？跟着我混有你好受的。

办公室终于只剩我们两个了，我修完一张图，伸了个懒腰，"啊——"痛快地打个哈欠，自言自语说："要是有杯热奶茶喝就好了。"

"好了好了啦，想要我买就直说嘛，别在那边嘀咕了。"小宝一脸不情愿的表情站起来，"我去买给你吧，等着我喔。"说完就冲出办公室。

什么嘛？我可不是这个意思。我还来不及分辩，他就跑出去了，我只好站在那里发呆。这个家伙到底是可爱还是可恨呢？应该是可爱多一点吧，看在热奶茶的分上。

手机响起了铃声，我拿起一看，好像是那个死人头的。"喂——"

"喂什么嘛，不知道我是谁吗？呵呵。"又听到黄子捷可恨的笑声了，"Office Lady，你怎么天天加班啊？害得我也要陪你加班。"

"谁要你陪了嘛？"我笑着说，"活该。"

"是，是我活该，谁叫我喜欢 Office Lady 呢？呵呵，还要多久啊，再过一会儿就有警察来抄牌了。"

"哎呀，你这个笨蛋，把车停到地下车库嘛，我还要等一会儿。"我说。

"不行啊，我要在这里才望得到你的窗户，这样安心一点嘛，免得你悄悄溜走。"

"好了好了，随便你啦，我再有 20 分钟就下来了。"我望望办公室门口，小宝还没有上来。

10 分钟之后，小宝气喘吁吁地跑上来，用塑胶袋提着两罐热奶茶。他递给我一罐，我打开拉环喝了一口，说："我还有事要先走了，你帮我修剩下的图好不好？"

"没问题啊，"他点点头，"你男朋友来接你了吧？"

"哪有，我真的是有点事要先走，那个……"马的，我干吗这么心虚？

"好了啦，你别这么紧张嘛，你一点都不会说谎，呵呵。"他满脸挖苦的笑容，又把头伸过来小声说："就是楼下开银色跑车的帅哥对不对？"

"啊？"我吃了一惊，刚想问他怎么知道的，不过这下刚才扯的谎不就穿帮了吗？

"我猜对了是吧？呵呵，看你紧张成这样。"他笑得更厉害了。

"哎不理你了，我要走了。"我赶紧背起包包往外面跑。

身后传来他的声音，"玩得开心点噢，图我会帮你修完的。"

黄子捷站在楼下面带微笑看着我跑出来，"终于下班了，我也跟着解放了，太好了。"

"这么多废话，找我干吗？专门来挖苦我啊？"我瞪着他说。

"当然不敢啦，我是专门来赞美你的噢，你今天看起来特别漂亮。"他笑着说。

我嗤的一声，"少说这种骗人的鬼话啦，真的是鬼才会信你。"

"好了不跟你争了，还没吃饭吧？先填饱肚子再说，我也一直陪着你挨饿哎。"黄子捷捂着肚子，扮出一副痛苦的死样子。

"行了行了，别装了啦你个死人头。"我拖着他往车的方向走。

他注意到我手上端着的热奶茶，惊讶地问："噢，原来刚刚那个提着奶茶跑步的男生是你小弟啊？"

"哈，你也看到啦？他是我的同事，叫小宝，被我整得很惨的，呵呵。"我笑着说。

他点点头说："跟你做同事的确是很惨。"

"找死啊你。"我把他的胳膊狠狠地掐了一下，他惨叫了一声然后说："对不起对不起我说错了，做你男朋友才真的是很惨，啊——"他又被掐了一下，活该！

想起来小宝跟黄子捷说话的方式还真像，都那么可恨！

"今天想吃什么？"黄子捷坐在驾驶座上问我。

我想了一下说："我们去吃上海菜好不好？"

"好啊，"他说，"你的爱好还真广泛。"

倒不是我的爱好广泛，是那天老张做的糖醋鱼实在太美味了，想起来就……不能想了，口水流出来就太难看啦。

黄子捷把车开到敦化南路一家上海菜馆，风格装饰很有西餐厅的风味，环境很是幽静，不知道味道怎么样，嘿嘿，吃过就知道了。

拿着菜谱翻了半天（我最喜欢翻菜谱，特别开胃，呵呵），我们点了糖醋鱼、炒鳝糊和滑蛋菠菜，然后坐着慢慢等。

黄子捷盯着我看了一会儿，怪怪的，我问："怎么了？"

"没什么啦。"他笑笑说。

菜上来了，我尝了一口糖醋鱼，啧，跟老张做的差太远了，看来绍平对老张的吹捧还是有点根据的。

"上次跟你说的那个咖啡厅——"黄子捷说。

"噢，怎么样了？"我嘴里塞满食物，应接不暇。

"我换了个名字，叫玫瑰黄，你说好不好？"他盯着我说。

"嗯……"我想了一会儿，"还可以啦，你打算去哪里开？"

"还没想好。"他耸耸肩膀，"你说在哪里比较好？"

"切，这种事情我怎么会知道？"我摇摇头说。

黄子捷笑着说："你想一想嘛。"

"我才不要想这些，公司那些东西已经想得我头痛了。"我继续摇头。

"那算了罗，"他又耸耸肩膀，"可怜我只好孤军奋战了。"

"有没有那么夸张嘛？"我瞪了他一眼，"我也帮不上什么忙，再说我不是给了你精神支持吗？"

"啊？什么精神支持？我好像不怎么觉得噢。"他反问。

"我现在就是在支持你啊，你看到我就会开心对不对？你开心就会更有干劲对不对？更有干劲你的咖啡厅就会早点开起来对不对？"我说了一大串，说得他瞠目结舌。

"这样也行啊，"他摇摇头，"算你说的有点道理啦，反正你总是有道理的。"

"呵呵，算你识相。"我捏捏他的鼻子，表示奖励。

黄子捷不甘心被我欺凌，伸手过来挠我痒，我赶紧躲开，两个人嘻嘻哈哈闹成一团，直到隔壁桌的老先生重重地咳嗽一声，黄子捷吐吐舌头，停下手来。那个老先生摇摇头，大概又在感慨什么吧。

吃完饭出来差不多10点了，一顿饭怎么吃了这么久？大概是因为我们两个说话太多吧。

黄子捷把车开到我楼下，我今天心情出奇得好，说："我们到

街心公园去坐一下吧。"

他愣了一下，赶紧点头说："好啊。"

公园离我住的公寓很近，一两百米的距离，我们走过去花了不到10分钟。公园没有我想像的那么冷清，三三两两的恋人坐在长椅上相互依偎，偶尔还能见到遛狗的女士，这么晚出来遛狗？有没有搞错。我嘀咕着。

黄子捷拍拍我的头说："你管的太宽啦小姐，人家是遛狗又不是遛你。"

"你说什么？"我瞪着他，伸手掐了他胳膊一下，"哎呀！"他惨叫一声，周围的人都把视线转过来，盯在我们身上。

"要死了你，"我嘀咕着，"叫这么大声干吗？"

黄子捷苦着脸说："是你下手太狠嘛，还怪我叫得大声，天哪！"

"好了啦，别哭别哭，姐姐疼你噢。"我伸过头在他脸上亲了一口，然后拍拍他的头。

这招果然管用，他呆呆地笑了一下就不出声了。

往前走了几步，黄子捷突然把手臂伸到我面前，我愣了一下，"你干吗？"

他笑着说："给你掐啊，掐一下再亲一下，呵呵，随便掐嘛，别客气哦。"

我狠狠掐了他一下，然后笑着说："我偏不亲你，你个笨蛋，是你自己给我掐的噢，活该！"

黄子捷突然转过身来，一把抱着我，在我的唇上印下深深的一吻，我的大脑轰的一声，好像突然失去意识一样。那是什么？是甜蜜吗？是幸福吗？全身都被这种莫名其妙的感觉充满，好久才慢慢清醒过来。

我伸手用力捶他的胸口，"你这个王八蛋，你欺负我！"

他一动不动地站着，看着我，眼神充满温柔的笑意，一碰到他的眼神，我的勇气就不知道飞到哪里去了，手打在他身上也软绵绵的。不行不行，我一把推开他，坐在路边的长椅上发呆。他也跟着坐下来，不说话。

沉默了一会儿，他把手伸过来放在我的肩膀上，我呆了一下，没有躲开，是因为今晚的月光太美吧，让我的心也变得柔软起来。我轻轻靠在他的肩膀上，他看着我不出声，嘴角带着淡淡的笑意。

现在我们看起来跟其他情侣没什么两样，依偎在长椅上，说话或者不说话都没什么关系，重要的是在一起。想起我们一起经过的磨难，想起很久之前，他隔着氧气面罩的笑容，我们等待着的，不就是这一刻吗？是不是从一开始，我们就确信这一刻会来临呢？我不知道。但他，黄子捷一定是确信这一点的吧？

我把头移下来一点，这样可以听到他的心跳声，他的心很平

静。节奏平稳，像是海浪拍向沙滩的那种节奏。我自己呢？不用听也知道，跳得好快。看看月亮，看看月亮下面他的脸，我让自己的心跳慢下来，跟他的节奏一致，好了，现在开始，我们的心跳是一样的了。我可以肯定。

他的手掠过我披落在脸上的长发，轻轻抚摸我的脸颊，轻轻的，像一片羽毛从脸上滑落，我闭上眼睛，不愿意再想什么事情了。

不知道过了多久，我睁开眼，正好碰到他的眼神，为什么呢？他的眼神有一种深切的悲哀，虽然这悲哀隐藏在温柔后面，但还是躲不过我探询的眼神。为什么呢？虽然他看上去无比平静，我想问他却开不了口。他是个不可思议的人，我想，也许我永远弄不明白他心里在想什么，不管他了，我只要明白一件事就行了，与爱有关的事。

我看着他的眼睛，看久了竟有一种落泪的冲动，我坐起来，拍拍他的肩膀说："走吧。"

他耸耸肩膀，"不多坐会儿吗？我们才刚刚来噢。"

"走了啦，"我把他拖起来，"我要回去睡觉了，明天还要上班的啦，才不像你那么无所事事的。"

有一个瞬间，我好像看到他的脸上有一丝难过的表情，可是很快就消失不见，是我看错了吗？还是我说错话让他难过了？不知道，他的表情不会露出真实的想法，除了极少数的时候之外。现在的他又是满脸笑容看着我，让我怀疑刚才那一瞬间完全是错觉。

走到楼下，我停下来说："不用送我上去了，你先回去吧，路上开车要小心一点知道吗？"

他耸耸肩膀说："知道，你早点睡觉，不要太想我噢。"

"鬼才会想你啦，哼！"我瞪了他一眼，转身走进大堂，回头看一眼，他还站在那里，对着我挥挥手，做了个鬼脸，真受不了他。电梯到了，我走进去，看着远处的他，直到电梯门合上。

洗完澡已经快12点了，我坐在沙发上发了一会儿呆，莫名其妙没有一点睡意，冲了杯热奶茶端在手里。可能我根本就不想喝热奶茶，只是想感受一下手里握着温暖的感觉。

想来想去，脑子里全是他的影子。我忘不了亲吻的一刻，忘不了在他眼里发现悲哀的一刻，甜蜜夹杂痛苦的时刻，我怎么忘得掉？他究竟在想什么？我跟他已经走得这么近了，却好像跟刚认识的时候一样，我完全猜不到他的心思。

我为什么要猜他的心思呢？我想，他想让我知道的，一定会告诉我，不想让我知道的，一定是他自己的秘密。我为什么要刺探他的秘密呢？对了，不管他，反正只要有些东西能确定就行了，其他的，与我无关，我想那么多做什么？不对，也不是与我无关，黄子捷的心思怎么会与我无关呢？哎呀烦死了，这个王八蛋究竟

新来的饶舌鬼

在想什么不可告人的东西？烦死了烦死了。

我差点把奶茶杯扔在地上，还好我醒悟得快。马的，我究竟是怎么了？这就是所谓患得患失吗？十足一个可怜的小女人。干吗费劲猜人家的心思？我喝了一口奶茶，再喝了一口奶茶，又喝了一口奶茶，心情才慢慢平静下来。

不想那么多了，睡觉吧。

可是我怎么可能睡得着嘛？

"铃——"电话响了，我冲过去拿起听筒，果然是他。

"我刚刚到家，你还没睡吧？"黄子捷说。

"没有，我在喝奶茶。"我说。

"哈，你不怕失眠啊？这么晚喝奶茶。"

"有什么好怕的，失眠就失眠罗。"

"呵呵，是不是想我想得失眠啊？"

"少臭美了，我才不会想你。"

"好了好了，我可不想跟你争，早点睡吧，睡得太晚对皮肤不好的噢。"

"哼，你是嫌我皮肤不好对不对？"

"冤枉啊，没有没有，我是为你好嘛。乖，早点睡啊。"他的语气就像哄小孩一样。

我说："好了啦，你好罗嗦啊欧吉桑，你也听话，早点去睡吧。"

"好了好了，就这样，晚安噢。"他轻轻地说。

"晚安。"我用同样轻的声音回答他，然后挂了电话，坐在沙发上继续发呆。

不行，这样不知道要坐到什么时候。还是去床上躺着再说，反正想啊想啊想累了自然就睡着了。我躺到床上，翻来覆去，眼前冒出黄子捷可恨的笑容，慢慢又消散了，绍平温和的脸在上方看着我，还有阿问，他的内双眼还是那么忧郁，还有……

新来的饶舌鬼

马的！烂身体

"铃——"我被闹钟的声音惊醒，8点30分？不会吧，我明明把闹钟定在8点的，难道它已经整整闹了半个小时？天哪，我怎么睡得这么死，惨了惨了，我还从来没迟到过呢，这下我的乖乖形象可全毁了。

飞快地冲到洗手间，刷刷刷，洗脸刷牙我只花了两分钟，换上衣服就冲出去，等等，还没拿包，该死！没办法，今天只能打车了。都怪那个死人头黄子捷，要不是他我怎么会失眠？怎么会起不了床？马的，烦死了。

跑进办公室刚刚9点差两分！我太伟大了，终于赶到了。按着胸口，我慢慢走到工作间，小宝已经坐在那里了，"早啊。"他打了个招呼，突然又发出一阵大笑声。

"你吃错药了，什么事这么好笑？"我恶狠狠地说。

"你的T恤好像穿反了，哈哈，"他说，"是不是今年流行这样的穿法？"

马的，真是忙中出错，难怪出租车司机看我的眼神都怪怪的，还好进办公室的时候没多少人看见。我瞪了小宝一眼，冲进洗手间，对着镜子才发现，真的是穿反了，真失败！我赶紧纠正了这个小小的失误，若无其事走出来。

企划部的美珍看到我就说："是小华啊，听说你今天上班衣服都穿反了，是真的吗？"

马的，好事不出门，坏事传千里，她们是怎么知道的？我镇静地说："哪有？你看这不是很正常吗？"我举高双手供她观察，她看了一眼就说："噢，我明白了，你刚刚才换过来是不是？呵呵。"说完她就走进洗手间。

马的，今天怎么这么倒霉？不理她了，我气鼓鼓地回到座位，暗自下定决心，要是小宝这个混蛋再敢多说一句我就……

"喂——"小宝叫了一声。

"什么事？"200米之内都能闻到我嘴里的火药味。

"你还没吃早餐吧？"他递给我一个塑胶袋，里面装着两块蛋糕和一罐热奶茶。

算你识相，哼！我接过塑胶袋，说了一声"谢谢啦"。

吃完早餐心情就好多了，看小宝也好像顺眼一点了。

"喂，小宝，"我叫了一声，"图修得怎么样了？"

"噢，已经做完了，联华公司那些也修好了。"他随口应了一句，没把头抬起来。

啊？不会吧。联华的也做完了，那他岂不是……？

"你昨天几点走的？"我小声地问。

他摸了摸后脑勺，很为难的样子，"好像……大概是12点的样子吧，我也记不大清楚了。"

我愣了一下，"辛苦你了小宝，"我不好意思地说，"谢谢啦。"

"呵呵，没事。"他笑着说。

"中午我请你吃饭吧，"我说，"就在楼下的茶餐厅。"

"怎么突然对我这么好？"小宝用警惕的眼神看着我。

"怎么？不能对你好啊？你贱骨头啊，人家对你好你受不了啊？"我恶狠狠地说。

"不是不是，"他赶紧摆着手说，"只是有点不习惯，呵呵。"

"你什么意思嘛？你是说我一直对你很差是不是？是不是？"我盯着他。

"没有的事，我一直觉得你很好啊，真的。"他很有诚意地看着我。

"算了，不跟你说了，你爱去就去，不去算了。"我转过头去不理他。

"当然要去，我怎么会不去呢？"小宝笑着手，"你请我是我的荣幸嘛，呵呵。"

"算你识相。"我嘀咕了一句，"哎不跟你扯了，开始工作了。"

一头埋进堆积如山的稿件堆，我很快就忘了时间，要做的事情实在太多了，而且好像永远也不会结束，做完一堆，死AD又扔给我一堆，算了啦，我也不算是最累的一个，再说还有小宝这个倒霉蛋陪着我，呵呵，这么一想心情就好多了。

很快就中午了，小宝站起来叫我，"吃饭啦，小华同学。"

"知道了啦。"我从稿件堆里抬起头来，伸了个懒腰，啊，终于可以休息一会儿了。

"走吧，"我说，"姐姐带你去吃好东西。"

小宝耸耸肩吐吐舌头，一副很欠揍的样子，我假装没看到，带着他往外面走。

茶餐厅好多人哦，马的，我怎么没想到先订个位子？这下可惨了。转了一圈，终于找到一个角落的"半张"空桌子，4个人坐的桌子已经坐了两个人，没办法，只好跟他们用一张桌子啰。

马的！烂身体

我跟小宝坐下来，叫了两份鲜虾河粉。

"你以前来这里吃过吗？"我漫不经心地问。

"没有，"他说，"你常来吗？"

"也不是经常，一个星期来一两次罗。"我说。

服务生拿来两个茶杯，一个茶壶。他拿过茶壶，先给我倒上，再把自己面前的杯子倒上。

"啊，看不出来你还蛮细心的嘛。"我笑着说。

"呵呵，我的优点可不止是细心，你慢慢就发现了。"他说。

"切，优点我没发现几个，缺点倒是发现了不少，你最大的缺点就是脸皮太厚。"我扮出不屑的表情。

"这个应该算是优点才对，"他一本正经地说，"社会需要脸皮厚的人啊，你不觉得吗？"

我不以为然地说："说得好像老江湖一样，你今年多大啊？"

"这个嘛，不能透露，可能比你大一点点噢。"他说。

"我才不信，看你样子那么小，你以前做什么工作的？"我赶紧岔开年龄话题，马的，搞不好他真的比我大，难道还要我叫他大哥不成？哼。

"我在台大读硕士，每年暑假都出来兼职，赚点生活费嘛，呵呵。"他笑着说。

"这样啊，生活费家里不会给吗？赚零花钱还差不多。"我说。

"不骗你，我是孤儿，上大学的钱都是自己挣的。"他淡淡地说。

我心中一震，手里的茶差点泼出来，疑惑地看着他，他的样子又不像是说谎，应该没人会拿这种事情开玩笑吧？我呆呆地想。

"怎么了？吓到你了？"他挑起眉毛笑着说。

"噢，没有啦，我只是……很意外。"我喃喃地说。

"呵呵，每个听到的人都很意外，这也很正常。"他说。

突然有一种怪怪的感觉，虽然他就坐在我面前，我却觉得离他好远，远到好像他根本就在另一个星球，一个陌生的星球，一片荒凉，却住着一个好脾气的天使。他的世界我太难以想像了，我不会虚伪地说我理解，自己没经过的事情怎么会理解呢？比起来我所经过的那些痛苦都算不上什么吧？一个孤儿的生活，对我来说离奇又遥远，我费力地想啊想啊，才隐约看清一些轮廓。

"你……你平常住在哪里？"我不知道该说什么好。

"租房子住啊，偶尔回去孤儿院看看，我以前的宿舍还空着呢，有时候就在那里睡罗。"他笑着说。

"噢……你朋友多吗？"我傻傻地问。

"好多噢，"他说，"我好多朋友的，你不也是我朋友吗？"

"嗯，"我点点头，"也算是朋友啦。"

"不要说得这么勉强噢。"他说。

"哪有？我认真的。"我点点头加以强调。

"知道啦。"他笑得很开心，真是一个奇怪的人。看他的外表那么阳光，谁也猜不到他有那样的身世，他的开朗是天生的吧？

"对了，昨天跟男朋友玩得开心吗？"他摆出一副神秘的表情。

我愣了一下，然后醒悟过来，"什么嘛？这么八卦，刚刚还想夸你呢，哼。"

"哈，不好意思了吧，呵呵，"他说，"你男朋友很有型噢。"

"那当然，不然怎么配得上我。"我得意地说。

"你还蛮有自信的噢。"他说。

"不是自信，是实力，"我瞪着他说，"是实力，听到没有？你敢说不是？"

"不敢不敢，打死我也不敢。"他做出举手投降的样子。

"算你识相啦，没白请你。"我说。服务生把河粉端上来，小宝弄了一大勺辣酱放进去。

"哈，你这么爱吃辣？"我惊讶地问。

"是啊，这里的辣酱很不错的，你也应该试试。"他点点头说。

"是吗？"我有点跃跃欲试，不过看到小宝的盘子里触目惊心的红色，又放弃了这个念头，"还是算了。"

"不要紧的，这是番茄辣酱，不上火的，你不用怕长豆豆。"他笑着说。

这也被他猜到？不过他说的好像有点道理，我用筷子蘸了一点尝尝，味道好像真的不错噢。干脆我也学小宝一样，弄了一大勺辣酱跟河粉拌在一起，看上去就像是西餐厅里的炒意粉。他面带微笑看着我，我不甘示弱，吃了一大口河粉。

哇塞！怎么会这么辣？马的，为什么那个混蛋吃了就没事？我赶紧喝了一口水，深深地吸了几口气，才慢慢缓和下来，眼泪差点就掉下来了，好险。不过真的是好过瘾。

"还受得了吧？"他看着我说。

"谁受不了？才不会呢，不知道多过瘾，你怎么不吃啊？"我说。

"因为我觉得太辣了啊，想不到你这么勇敢，真的吃下去了。"他露出古怪的笑容。

气死我了，这个混蛋！我瞪着他，拼命吸气，喝水，说不出话来。

"别生气别生气，骗你的啦，那，我吃给你看。"说完他就吃了一大口，面不改色地看着我，"我是觉得你吃辣的样子很好玩，所以才看你吃啊，呵呵。"

他吃了一口又停下来说："不要太勉强噢。"

"哼，你才不要太勉强。"我恨恨地说，又吃下去一口河粉，水，

马的！烂身体

等等，水已经没有了，马的，服务员快点来加水，来救火啊！我差点就喊出来了。

走出茶餐厅我满脸通红不停地吸气，他跑去买了一瓶汽水递给我，虽然我不喜欢喝汽水，现在也顾不了这么多了，我一口气喝光了满满一瓶汽水，小宝目瞪口呆地看着我，说："你还要喝吗？"

我挥挥手表示不用了，喘了两口气，才稍微好了一些，小宝担心地看着我。我瞪着他说："看什么看，都是你害的！"

小宝苦着脸说："我也没说一定要你吃啊，是你自己太逞强嘛……"看看他一脸委屈的样子，唉，算了吧。

回到公司，没什么好说的，接着工作罗，反正工作好像永远也做不完一样。刚刚坐下来就被 AD 叫到办公室，莫名其妙的。

"跟林治勋相处得怎么样啊？"AD 问我。

"林治勋？噢，你说小宝啊，很好啊。"我说。

"你觉得他工作能力怎么样？"AD 问。

我说："很好啊，能力蛮强的，而且很勤奋的噢，他昨天加班加到 12 点呢。"

"真的吗？看来真的是不错喔。"AD 点点头说。

我问："怎么了？有什么事吗？"

"没事啦，例行公事啦，林治勋刚刚来，当然要考察一下罗，"

AD说，"好了，小华你去忙吧，还有加班不要加到太晚，注意身体喔。"

"知道了啦。"我笑着说，转身走出ＡＤ的办公室。

回到工作间，小宝笑着问我："ＡＤ是不是问你关于我的事情？"

我愣了一下说："啊？你怎么知道？"

"我猜的嘛，如果是工作的事情他肯定走过来跟你说，他把你叫过去肯定是不方便让我听到嘛，当然就是说关于我的事情罗，呵呵，一点也不难猜。"他说。

"蛮聪明的嘛，"我点点头说。唉，起码比我聪明多了，要是我肯定就猜不到，或者根本懒得去猜，大概也是性格原因吧。我说："你小心点，我可说了你不少坏话，哼！"

"噢？什么坏话啊？"他笑笑，看上去一点也不紧张。

"我说你工作太拼命啦，把事情都做完了，害得我没事情可做，你说你是不是很坏？"我说。

"呵呵，这样啊，这样的坏话你以后可要多说一点，谢谢啦。"小宝耸耸肩膀，这个动作看起来好眼熟。对了，像黄子捷。真是奇怪，他们两个人好像有些共同的特质，说不出来，可是他们两个人的处境相差那么远，黄子捷曾经是个纨绔子弟，小宝却是个孤儿，怎么可能？他们应该是两个世界的人嘛，怎么会那么像？

马的！烂身体

我突然想起黄子捷的心脏病，他也遭受过苦难，而且是我想像不到的苦难，小宝也是，是苦难造就他们相同的特质吗？不知道，不想这些问题了。

我打开电脑，"不跟你扯了，开始工作了喔，你做完的那些图都做上记号了吧？"

"是啊，我全部放到已完成的文件夹里了，看到了吧？"小宝说。

我找了一会儿，"啊，看到了，这么多啊？真是辛苦了喔，小宝。"

"应该的嘛。"他笑着说，头埋在稿纸堆里没抬起来。

下午刚过了一半又被叫去开会，无非就是讨论手头那个案子，我坐在会议桌旁边发呆，差点就睡着了，好险，幸亏美珍在旁边推了我一下，她真是个好人，我决定明天请她吃冰淇淋。

开完会我头昏昏地走出来，手头的稿纸又多了一点，那个变态客户要我们提供15个方案做备选，马的，要那么多干吗？我忍不住骂了两句。没办法，还是老老实实快点做出来给那个变态看吧，不然不光是我很惨，也会害得同事很惨。

我把多出来的稿纸扔给小宝，他倒没什么特别的反应，也是嘛，才受了两天折磨而已，反应当然没我这么大。不管他，还是开工吧。

我埋下头，咬牙对自己说："今天一定搞完它，哼！"

抱着必死的决心，把那堆稿纸狂啃了3个钟头，看起来总算是少了一点点，唉，也只是一点点而已，我已经头晕得不行了。

小宝抬起头说："小华你怎么了，你脸色不大好噢，要不先休息一下吧。"

我挥挥手说没事，跑到休息室倒了一杯冰水喝下去，头脑又清醒多了。回到工作间，面对那堆稿纸，我深吸一口气，又一头扎进去。

不知不觉就到了下班的时间，小宝把头伸过来说："要不要先去吃饭？"他已经做好加班的准备了，我也一样，不加班根本就不可能完工嘛。我摇摇头说："再等会儿，我把这个底稿弄好再说，你先去吃吧。"

"你吃什么？我帮你买上来嘛。"小宝说。

"不知道，我不大有胃口，你帮我买一罐热奶茶就行了。"我懒懒地说。

他认真地说："不行，不吃饭怎么行，大不了我请你嘛，说你想吃什么？"

什么嘛？我都没力气笑了。"好吧好吧，给我买两串黑轮就行了。"我不想跟他争辩，只好随便吃点什么。

"好吧，你等我噢，我很快就上来。"他转身跑出办公室。我

马的！烂身体

呆呆地坐着，太阳穴隐隐作痛，一跳一跳的，头好像要裂开了一样，我干脆趴在桌上，不用摸自己额头我也知道又发烧了，我自己的烂身体自己最清楚。

不知道过了多久，小宝气喘吁吁跑上来，我勉强抬起头，看着他，想说话却发不出声音，眼前突然一黑，我只记得听到小宝焦急的叫声，然后就什么也不知道了。

睁开眼看到一片朦朦胧胧的白色，有一个模糊不清的人影，还有一个声音飘来飘去，"小华！小华！"

是小宝，他用焦急的眼神看着我，嘴里不停叫我的名字。我对着他挤出一丝笑容，"我是在医院吗？"

"是啊，你昏睡了5个钟头，吓死我了，"小宝拍拍胸口，一副谢天谢地的样子，"我差点以为你醒不过来了。"

"什么嘛？你这个乌鸦嘴。"我不满地说，声音小得连自己都差点听不到。

小宝笑一笑说："肚子饿吗？你还没吃晚饭呢，想吃什么我去帮你买。"

"我想喝粥，广东式的那种粥，还有……"

"热奶茶，我知道啦。"他拍拍我的头，转身走出病房。

我躺在病床上发呆，好久没来过医院了，还以为身体慢慢变好了，原来是错觉，积累起来一次狠狠地发作，我被打了个措手不及。身体的虚弱让心理也变得软弱起来，恍惚中又不知道在思念谁，谁和谁的脸混在一起，谁离我最远，谁离我最近，我辨认不出，也不想费神去辨认，可是那影像固执地在我心头浮现，挥之不去，好烦。

小宝去了多久了？我漫无目的地想着，看看床边的小柜子，手机不在这里，肯定是放在公司了，放在公司的还有一大堆稿纸，山一样压迫着神经。

门开了，小宝终于回来了，他把粥和奶茶放在柜子上，坐下来说："自己可以吃吗？要不要我喂你？"

"才不要你喂，"我嘀咕着把奶茶打开，用力喝了一口下去，熟悉的温暖又遍布全身。他微笑着看着我说："要不要打电话给你朋友？"

"不用了，反正我现在都已经没事了。"我摇摇头说。

"那可不行，医生说你还要再住一天院，明天我上班就不能看着你了喔。"他说。

"那好吧，把手机借我用一下。"我有气无力地说。

我打了电话给梅芬，想了一下，又拨了一个给黄子捷，还是让他知道好一点，反正就他最有时间。

一个小时之后黄子捷最先出现在病房门口，小宝站起来说："你好，我是小宝，小华的同事。"

黄子捷伸出手笑着说:"我是黄子捷,我见过你的,奶茶小弟。"

"呵呵,我也见过你,跑车帅哥。"

听着他们的对答我忍不住又好气又好笑,"喂,你们对什么对子嘛,把病人晾在一边不管。"黄子捷赶紧俯下身一脸关切的表情:"怎么会不管你呢?你还好吧?看你的脸色好苍白,感觉好点没有?"

"死不掉的啦。"我没好气地说。

"啊你怎么能这么说,不吉利的,我看看你有没有发烧。"黄子捷用手碰了一下我的额头,"还是有点烫噢,要不要敷个冰袋好一点?"

"你看你,像个医生一样,这里就是医院啦,不用你操这么多心。"我说。

小宝转过头对我说:"既然你朋友已经来了,我就要先走了噢,明天还要上班。"

黄子捷拍拍他的肩膀,"真的是要多谢你了,"他用手指向我说,"这个家伙身体又差,又不会照顾自己,幸亏有你送她来医院。"

什么嘛?这个混蛋一有机会就要打击我。小宝居然也点点头说:"是啊,不过也不用谢我啦,同事嘛,这点事不算什么的。"

黄子捷把小宝送出病房,可能乘机还要说几句我的坏话吧?

我躺在床上想。5分钟之后他才在门口出现，直接走到病床边，一把紧紧地抱住我说："你害我差点担心死了。"他摸摸我的头发，又在额头印下轻轻的一吻，然后露出苦笑说："我这颗心脏早晚也要被你弄坏掉。"我的心突然有点发紧，伸手捂住他的嘴，"不准你说这种话，不准你说。"眼泪不争气地掉下来，不是，不会的，我这样麻木地想。一种无助的感觉把我笼罩住，我无能为力，只能不争气地流泪。

黄子捷轻轻擦干我的眼泪，"为什么要哭呢，小傻瓜？我保证以后再也不说了，是我不好，我再也不说了。"他的声音在我耳边呢喃，我好像溺水的人突然又抓到一块木头，他的声音唤回我的思绪，我看着他，可还是说不出话来。

"啊，你的东西还没吃完呢。"他拿起盛粥的碗，"来，我喂你吃吧。"我点点头。

吃了几口，心情慢慢就平静下来了，他面带微笑看着我，这也是让我平静的因素之一吧。吃完粥他问我："还要不要吃点别的？"我摇摇头，不想他离开我的视野。

他坐在我旁边，出乎意料的安静，我斜躺在病床上，看着他，他的头发又长了一点，要是再长一点就可以扎个马尾了，跟我刚认识他的时候一样，他身上有什么东西变了吗？眼神比以前柔和，不再藏着调皮的神色，也许只是在这一刻吧。

马的！烂身体

"干吗盯着我看，不认识我了？"他笑着说。

"才不是，我看看你脸上有没有暗疮。"我说。其实我是想一刻不停地盯着他，怕他突然长出翅膀就飞走了。

病房的门被推开，"嘿，小妞，"梅芬从外面走进来，"又中招了？看你的样子，情况不是很严重嘛，早知道我就不用跑过来了。"

"哈，你这么没良心的？是不是我病得要死了你才肯过来？"我没好气地说。

"嘿嘿，说笑嘛，刚刚我看你们好像很柔情蜜意的噢，没打搅你们吧？"梅芬对着我眨一下眼睛。

"好了啦，尽说废话，快坐下来吧。"我说。

梅芬在病床边坐下，把手里的水果放在柜子上，对黄子捷说："来了多久了，男朋友？"

"一个多钟头了。"他微笑着说。

"嗯，勉强合格。"梅芬满意地点头，好像裁判一样，不合格的人都会被她踢出场外。

黄子捷说："谢谢夸奖，好紧张喔，我真怕自己不合格，呵呵。"

梅芬也被他逗笑了，他好像有一种奇妙的亲和力。梅芬拿出一个苹果，不由分说就削了起来，也不问我到底想不想吃。

"喂，你的毅东最近怎么样？"我问梅芬。

"这么多事，先关心好自己吧。"她瞪着我说。

"肯定是很不错罗，看你削苹果的样子就能看出来，呵呵。"我得意地说。

梅芬说："什么逻辑嘛？你肯定发烧还没好，拿去。"她递给我一个苹果，看来是打算塞住我的嘴。我接过苹果，她拿了一个又开始削，真是，从来没见过像她那么爱削苹果的人。我拿起苹果咬了两口，梅芬又削好了一个，她的技术越来越好了，我想。

"拿去吧，帅哥。"梅芬把苹果递给黄子捷，黄子捷说了声谢谢就接住了。梅芬又开始削，真受不了她。

"对了，你什么时候出院？"梅芬问我。

"医生说还要住一天，不知道怎么搞的，以前好像没这么麻烦。"我说。

"医生没说为什么吗？"梅芬担心地问。

"没有。"我说，天知道医生先生的脑子里想什么。

"那明天我来陪你吧。"梅芬说。

黄子捷说："不用了，你明天还要上班嘛，我陪着她就行了。"

梅芬笑着说："哈，这么好的男朋友？小华，我好嫉妒你喔——"

"什么嘛，你自己又不是没有。"我嘀咕着。

梅芬又削好了一个苹果递给我，我赶紧摆手谢绝，她又递给

马的！烂身体

黄子捷,黄子捷只好苦着脸收下。什么怪人嘛?削一大堆苹果自己又不吃,坐她旁边的人早晚被苹果给撑死。看她又拿起一个苹果开始削,我跟黄子捷一起阻止了她,连台词都一样,"拜托你别再削了!"呵呵。

"你先回去休息一下吧,我在这里陪她,你明天再过来嘛。"梅芬对黄子捷说。

"噢,不了,你回去休息好了,我在这里守着她。"黄子捷说。

梅芬叹了一口气说:"小妞,我真是嫉妒你喔——好吧,我再坐一小会儿就走,不当电灯泡了。"

我反驳她说:"哪有?"黄子捷在一边笑着说:"是啊,哪有这么好看的电灯泡?"

我和梅芬都忍不住笑了起来,梅芬拍拍黄子捷的肩膀说:"好了,小华就交给你了,我现在就蒸发掉。"

拿起包包,她又拍一下我的脸蛋,"我走了,要好好珍惜喔。"走到病房门口,又对我们挥一挥手,笑得好坏。病房一下子又安静下来。

一夜的时间很快过去了,医生说我有点低血糖,中午的时候小宝过来看我,说老总给我放了3天假,要我放心地休息。

"那我们手头的案子怎么办?"我问。

"没关系的,我会帮你做完。"小宝说。黄子捷也伸过头来说:

"你就安心休息一下吧，工作暂时别想了，身体最重要的对不对？"这个家伙什么时候也这么喜欢讲道理了？

"可是……"我还是有点不大放心。

"你就不要可是了，"小宝笑着说，"怎么？不相信我吗？"

"不是啦，就是太辛苦你了嘛，叫我怎么好意思？"我说。

"呵呵，你要是不好意思的话就请我吃顿饭吧，你不愿请的话叫帅哥请也行。"小宝指着黄子捷说。黄子捷笑了起来，说："没问题，我可不像她那么小气，呵呵。"

真的要被他们气死了！他们两个都是这样，不说话的时候还蛮可爱的，一说起来就够可恨的。我气鼓鼓地说："哼，你们两个一起欺负我，不理你们了。"

小宝站起来拍拍黄子捷的肩膀说："还是你来安慰她吧，我可对付不了她，你比较有办法。"说完又对我挥挥手，"走啦，小华姐，改天再来欺负你，呵呵。"

黄子捷也站起来送小宝出去，然后坐在旁边说："这个小宝也蛮有趣的嘛。"

"什么有趣？"我说，"嘴巴跟你一样讨厌的。"

"这么说你认为我也很有趣？"他笑着说。

"有趣你个头，肉麻当有趣。"说完我自己也忍不住笑了。

"中午想吃点什么？我去给你买。"他说。

马的！烂身体

　　黄子捷走出病房之后我就躺在床上发呆，也不知道该想些什么好。思绪总是喜欢突然间打乱，像纠缠了无数层的丝线，缠啊缠啊，缠得头晕晕的，躺在病床上的人是不是都这样？对了，绍平现在怎么样了？还有阿问呢？原来还是一直在牵挂他们啊？这样也好，证明我并不是个冷漠到家的人，心灵不知道什么角落还藏着一丝温情，这样的我是真实的我吗？谁知道呢。谁又知道自己应该是怎样，不应该是怎样。翻来覆去的只是些无意义的质问，除了让我的头更晕之外一点用处也没有，不过也没关系啊，说到底，没用处的东西在我们心里到处都是，区别只在于有没有被我们想起，而用处这样的形容，本身就是一种自私吧？为什么一定要有用处呢？绍平在我心里的某个角落，阿问在我心里的某个角落，我的心大概就是由许许多多这样的角落构成。

　　哎呀不想了不想了，头晕得受不了，老是改不掉胡思乱想的坏习惯，头晕肯定就是上帝对我的小小惩罚。呵呵，白胡子上帝，胡思乱想也不是天大的罪过，你还是放过我好了。这样想了一会儿，心情就平静了一些。

　　黄子捷提着鳗鱼盒饭回来了，当然少不了热奶茶，谅他也不敢犯这种低级错误，呵呵。"好了，不用你喂了，我自己吃，你也自己吃吧。"我说。

　　"好的，我真的开始吃了喔。"他看着我笑，好像在征求我的批准。

"装什么嘛，你有这么乖吗？好吧，我命令你不准吃了。"我笑着说。

他拿起盒饭说："不行的，长官，我不吃饭就没力气照顾你了。"说完已经把筷子都拿在手里了。

"哼，就知道你没这么听话。"我懒得理他，也开始吃我的盒饭，喝我的奶茶。

吃完饭我就命令黄子捷趴在柜子上睡觉，这次他倒是服从了，大概是因为确实太累了吧，从昨晚一直待到现在，我呢，反正一直是处于昏睡之中的，也不怎么觉得累。

他把手臂搁在柜子上面，脸向着我的方向，闭上眼睛之前跟我说了声"晚安"。这个家伙，睡觉还没忘记开玩笑的。

刚开始还偶尔睁开眼望一下我，慢慢眼睛就张不开了，等他睡着了我就把头转过来，仔细看着他，呵呵，还从来没看过这家伙的睡相。眼睛闭上才发现，他的睫毛原来是这么长的，看上去超可爱的感觉，我就说了嘛，不说话的时候最可爱。一部分头发顺着耳朵滑落，盖住了侧脸，有一丝散乱的感觉，看着他垂落的长发我有种错觉，好像这家伙睡觉的时候还是那么不安分，脑子里不知道在转什么鬼念头。侧脸的轮廓这时候看得更清楚了，微微内收的嘴唇，好像藏着一句什么话没说出来。

　　我目不转睛地盯着他，感受他呼吸的节奏，慢慢地我的呼吸也跟他一致了，那一刻我感觉我们离得好近，比他抱我在怀里的时候还近，真的，我看着他，他就像一个玩累的孩子终于安静下来，不会乱动，不会乱跑了。心里一种模模糊糊的东西慢慢落下来，落到一个安稳的地方，好踏实的感觉。孩子不会跑了，天使不会飞走了，他就在我身边，安安静静地睡着了，从前他一直守护着我，现在我开始守护着他了，嘘——你们小声点，不要吵到他，你看他嘴角淡淡的笑容，一定正在做一个好梦，这个梦里一定有我，嘻嘻。

　　意识渐渐模糊，像一颗糖在咖啡里慢慢散开。我的面前有草地，对，就是我小时候整天在上面跑的草地，草绿得简直不像是真实的，而且那么柔软，躺下去就不想起来。一个熟悉的人躺在我旁边，他的长头发，还有眼神，还有微微上扬的嘴角，是啊，他是黄子捷，跟我无数次见到的一模一样，只是在阳光下面，我见到的一切都好像在摄影镜头里面，带着一层模糊的光晕。不过他的笑容我是绝对不会认错的，还有眼神里面藏着的温柔，他躺在我旁边，我们都不说话，好像时间可以一直这么进行下去。我躺着什么也不想，甚至没有想到幸福这个字眼，真正幸福的人不会常常想到幸福的，是吗？不幸的人才会一直梦想幸福吧。一切都有个开始，一切都有个结局，就算是在梦里面，还是要有结束。是的，我知道这是梦，为什么不让我一直做下去呢？不知道躺了多久，黄子捷站起来，他的脸上还是有一层光晕，他说他要走了，伸开双手做了个飞翔的动作，翅膀就真的长了出来，半透明的，一样笼罩在一层光晕里面。我记得他的笑容还是跟以前一样，只是我的心情不一样，我甚至不知道自己的心情究竟是什么样。他说要走了，拍拍我的头，拍拍自己的翅膀，转过身就真的走了。我呆呆地站在草地上，我想起来我应该说一句话，我应该说你不要走。这时候我醒了。

黄子捷还在我身边，他还在睡，这样我稍微安心了一点。平静下来想刚才莫名其妙的梦境，那究竟是个美梦还是噩梦？我不知道，白胡子上帝，你知不知道？我想问一问他。

待了一会儿，我甚至有点想把黄子捷叫醒，好在我克制了自己。马的，我怎么能这么自私？让他好好睡一会儿吧。不过我真的好想知道他有没有做梦，还有做的是什么样的梦。

时间一点一滴地慢慢过去了，想想这样的画面好像有点虚幻感，我躺在病床上，等待身边沉睡的爱人醒来。呵呵，说的好像童话故事一样。

黄子捷终于醒了，睡眼惺忪地看着我说："我睡了多久？"

我笑着说："不知道哦，我也睡着了嘛。"

他看看手表，又说："看表也没用，我都忘了是几点钟开始睡的，呵呵。"这个家伙还是这么粗枝大叶的，这一点跟我倒是蛮像

的，我想。

医生走进来给我做检查，然后告诉我说可以出院了。太棒了，终于可以逃出这个地方了，我想。

黄子捷开车把我送到公寓楼下，跟我一起上楼。走进房间我就有一种好坦然的心情，才离开短短两天，就好像久别重逢一样。黄子捷坐在沙发上看着我，好像明白我的心情。

我冲了一杯奶茶递给他，然后冲一杯给自己，坐在他身边，莫名其妙有点尴尬。

"我以前跟你说的咖啡厅，"他喝了一口奶茶说："已经找到店铺了，说不定很快就可以开张哦。"

"真的？"我的确为他感到高兴，"叫什么名字？还是叫玫瑰黄吗？"

"是啊，你不是说你喜欢这个名字吗？"黄子捷说。

"还好啦，应该还可以想一个更好的名字。"我说。

"那你说叫什么好呢？"他偏着头问我。

"我也想不出来，头好痛啊。"我说。

黄子捷把身体移动了一下，靠我更近一点，看着我说："小华。"

"嗯。"我应了一声。

"你把工作辞掉好不好？"他凝视着我，"我们一起开咖啡厅好不好？"

我愣住了，这个？我好像从来没想过还有这种可能。我也不知道好不好，端着奶茶在沙发上发呆。黄子捷也沉默了，他在等一个什么样的答案呢？这当然可以猜到。可是……可是什么呢？我喝了一口奶茶，说："不好，我还是想把这份工作做下去。"

看不出来他心里有什么波动，他只是笑笑，说："我早知道你会拒绝，唉，也不知道被你拒绝多少次了，呵呵。"

他看上去那么轻松，我却莫名其妙有些沉重。不对啊，我应该很乐意答应他才对。为什么呢？我不是一直觉得工作很累吗？我真有那么喜欢这份工作吗？我是不是在刻意逃避什么？

我不出声，气氛竟有些尴尬了。侧过头去看他，发现他的脸色隐约显得苍白，是我的错觉吗？这种苍白我似曾相识啊。他真的像他看上去那么平静吗？

不知道坐了多久，我们说着一些不相干的话，一种奇怪的东西在我们中间蔓延，直到他站起来说："我要走了，你早点睡吧。"

我送他到电梯口，等电梯下来的时候我们都不说话，叮的一声，电梯到了。他转过头说："我走了噢。"

有一个瞬间我的大脑好像停顿了，我突然抱住他，笨笨地吻了他嘴唇一下，然后看着他。电梯门打开又合上。

一块坚硬的东西被打碎了，正在慢慢融化，我也快融化了，他

马的！烂身体

　　也是，从他的眼神可以看出来。走廊暗黄的灯光照在他脸上，跟他的温柔正好融在一起，时间就在这一刻停下来了，我可以感觉得到。

　　他在我额头轻轻吻一下，拍拍我的头，说："走了。"按开电梯，走进去，转身看着我，电梯门慢慢合上。我还是待在那里。

　　不知道过了多久我才慢慢走回房间，先去洗澡吧，让头脑清醒一下。

　　洗完澡我坐在沙发上，刚才的奶茶没喝完，已经冷掉了。把它倒掉又冲了一杯，该死，喝这么多今天晚上不用睡觉了。管他的，反正明天不用上班了。

5

Waiting for a cup of Hot Milk Tea

@Heaven

　　躺在床上翻腾了好久，什么时候睡着的也不记得了，呵呵，谁会记得呢？睁开眼的时候，看看闹钟，居然才8点，上班族的生物钟还真是蛮准的。我看了看时间，闭上眼睛继续睡，这次我就大概知道什么时候睡着了。

　　再醒来的时候已经是中午12点了，懒懒地爬起身，洗漱又花了20分钟，没有压力当然做什么都会慢一点的啦。

　　换好衣服才开始想，去哪里呢？先去吃饭好了。走到楼下的阿忠面馆，叫了一大碗牛肉面，差不多就是最大碗那一种了，周

围的食客都看着我大感惊讶，哼，女孩子就不能吃大碗吗？今天不知道为什么，我一点也不怀疑自己的胃口，我想我肯定能吃完这一大碗面。透过落地玻璃窗，我看到街对面有一辆银灰色奥迪跑车开过来，心猛地跳了一下。不会是他吧？这么想着，其实我真的希望是他。

车停下来，走出一个40岁左右的阿伯，长什么样子看得不太清楚。管他长什么样子，反正不是黄子捷就是了。马的，我真的有那么想他吗？疑神疑鬼的，什么嘛，不管他了，继续吃面。

一碗面很快就消失了。我走出面馆，到7—11买了一罐奶茶，还是这里的奶茶最够温度，拿在手里都觉得舒服。在街上边走边看，我想，不知道小宝现在正在干吗，公司那一堆东西肯定让他头昏脑涨了吧？这么想着，不免有点罪恶感攀升起来，我还好意思这么悠闲地在街上闲逛，真是不应该。反正身体也没什么不舒服了，干脆不要休假了，去公司帮帮小宝也好嘛，把他累死了谁帮我买盒饭买奶茶啊。马的，我又在想什么？太可怕了吧，这种想法？罪过罪过。

把摩托车骑到公司楼下已经是下午1点30分了，还不算太晚啦，起码还有半天可忙的。走进办公室就碰到美珍，她叫得好大声，"小华你怎么来了？不是在家里休息吗？身体好点了？"一大串问题，搞得我不知道应该先回答哪个，还没等我回答她又说："这两天小宝可辛苦了噢，他昨天在公司过夜的，到现在还没回家。"

"啊？"我愣了一下，不至于这么拼命吧？这……这……这可让我太不好意思了。走到工作间旁边，小宝埋着头正在写写画画，完全没发现我的存在。

"喂。"我拍拍他的肩膀，他啊的一声跳起来，好像见到鬼一样。马的，我有这么可怕吗？他看着我说："你……你怎么来了？你不是应该在家休息吗？"

"哎呀有什么好休息的嘛，我已经好了啦。"我扬起双手做了一个很阳光健康的Pose，小宝却不为所动，他摇摇头说："好了，你就不要逞强了嘛，这里交给我就行了，你乖乖回家休息吧。"

什么嘛？当我是3岁小孩一样。说起来我还是你前辈呢，哼。"我真的已经好了啦，在家里待着太闷了嘛。"我不服气地说。

"你闷可以去逛逛街啊，看看电影啊，反正就是不能工作，你看你脸色还这么差。"小宝说。

我说："我脸色一向都是这么差的啦，你看不惯是不是？"干脆不要跟他讲道理了。

"所以你应该多休息嘛，脸色好一点也看起来漂亮一点对不对？"小宝说着就要把我推出去，"虽然你已经够漂亮了，但是能变得更漂亮一点不是更好吗？"

"哼，你少拿这种鬼话哄我，我才不漂亮呢，"我打开他的

手，"好了啦，我走就是了，免得你看到我心烦。"

"不是不是，你看你，这么容易生气的，我是为了你好嘛。"小宝笑着说。

我只好走出工作间，小宝在背后说："好好休息，太闷的话就叫跑车帅哥陪你嘛，再见罗。"马的，我忍住转身跟他吵架的冲动，一直走出办公室。

骑着摩托车往前走，从哪条路过来的，就从哪条路回去，真是无谓，我跑来公司干吗？到了公寓楼下，停好摩托车，发了一阵呆，做什么好呢？慢慢想吧。

回到房间，先打开电脑再说，屏幕上跳出一行字："您有新电邮。"噢，谁给我发的呢？我满怀兴奋打开邮箱，收到新电邮的人当然都是很兴奋的啦，何况我这个倒霉蛋整整一个星期也没收到一封电邮。

主题很简单，就是"小华你好！"，什么烂主题嘛？一点也不特别。打开内文，看到第一行字我就愣住了，"我是阿问……"

阿问？一下子觉得好遥远哦。有一段时间我觉得，他可能真的是飞上天堂躲起来，不想再见我们这些凡人了。这封电邮是从天堂发出来的吗？我忍不住看了看电邮地址的后缀是不是@Heaven。马的，当然不可能了。又胡思乱想了。

"我是阿问，看到这封电邮你多少有点惊讶吧？我好像可以看到你的表情，嘴巴张成一个 O，问自己阿问到底是谁，呵呵。

很抱歉这么久没跟你们联系，让你们担心了（不知道你有没有担心过我？）。我写这封电邮是想告诉你，我现在过得很好，你们不用担心。

去年 9 月我就去了南美旅行，到处闲逛，一直逛到现在，猜猜我现在在哪里？嗯，你这么聪明一定可以猜到答案的，我还是直接把答案告诉你好了。我在巴西，照片里的城市就是里约热内卢，一个很美的地方，你看了照片也会这么认为吧？

你肯定会问我什么时候回来，实际上我自己也不太清楚，应该说，等我想回来的时候就会回来。总之我现在很开心，暂时不急着回台湾。

我留一个电话号码给你，你有空可以打过来，这个星期我都不会离开，好久没听到中国话了，现在真想听一听，特别是听你的声音哦。要是我离开这个城市了，你还是可以找到我的。知道吗？我有一个特别的方法。到一个新的城市，到一个新的旅馆之后，我都会打电话给之前住的旅馆留一个 message，只要说出我的名字就可以知道我的新电话，这样不管我走到哪个城市，你都是可以找到我的，呵呵，这个方法是不是很好玩？对了，忘了告诉你，我的英文名字是 Kelvin。

最后，请你一定要保重身体哦，还有不要那么逞强，不要把

什么事情都藏在心里，活得开心一点知道吗？不要忘了，在远隔万里的南美洲，还有一个人在关心你……"

不知道为什么，看着看着视线就有些模糊了，我流泪了吗？我问自己。看来是的。阿问，原来你还在地球上啊？真是太好了。你真的快乐吗？我摇摇头，乡公所的长椅上，那个等待天使的忧郁男孩还坐在那里，好像一直就没离开过。风吹过来，他的长发散开，抬起头望着漆黑的宿舍楼，我忍不住要问他，你真的快乐吗？一个快乐的人为什么要去南美洲呢？为什么要在陌生的城市徘徊呢？你是不是，也在躲避什么东西？我还是祝愿你快乐一点，跟童话故事一样，"从此他们快乐的生活在一起"，可那是两个人的快乐，孤身一人的王子又怎么会快乐呢？

照片上的阿问看起来很开朗，里约热内卢的海滩看上去真的好美，这是台湾看不到的美。阳光照在他的脸上，阳光好像成了他的一部分，有时候阳光也可以是忧郁的啊，是吗？阿问的笑容在千万公里之外，忧郁的内双眼看着我，他是不是想说点什么？是不是有些什么他在电邮里没说出来？必须用眼神来告诉我？

我冲下楼去，马的，我的电话不能打IDD的。好不容易找到电话，我拨通阿问给的电话，忙音，再拨，还是忙音，马的，在忙什么啊？我忍不住在心里骂了一句。啊，终于拨通了。话筒那边猛地跳出一堆英文，该死，不知道我英文很烂的吗？不管他，肯定是 May I help you 之类的啦。我结结巴巴地说："P…please connect me to room 1032, this is…calling from Taiwan."

"Wait a moment please."还好，这句我能听懂，谢天谢地，我说的英文巴西人也能听懂，证明水平也不是太烂嘛，呵呵。

"Hello, Kelvin's speaking."这个声音有点熟悉又有点陌生，当然了，我从来没听过阿问说英文的。

"是阿问吗？"我鼓足勇气说了一句中文。

"啊，是小华吗？"电话那边的声音说。感谢上帝，真的是阿问。

"是啊是啊，是我小华啊。"我激动得有点语无伦次了。

"真的是小华啊，没想到这么快就能听到你的声音，你过得还好吗？"阿问说。

"还……还好啦，你……你过得还好吗？"我吞吞吐吐地问。

"很好啊，没什么不好的，呵呵。"他的声音听上去很开朗。

"噢，那就好，你那边的天气怎么样？"一时之间我也不知道该说什么好，电话拨通之前我觉得应该有好多话要说的，可是真的开始说了却不知从何说起。

"挺好啊，就是稍微有一点点热，台湾呢？现在天气怎么样？"阿问说。

"还好啦，差不多。阿问，你为什么要去美洲？"我忍不住说

出来，说完又有点后悔了，唉，每次都是这样。

"告诉过你的，旅游啊，散散心，放松一下自己嘛。"阿问说。

"噢，"我不知道应不应该对他的回答表示满意，这是不是说，我期待一个不一样的答案呢？我为什么要期待？"对了，阿问，原来你英文这么好的，要是我就不敢跑出去旅游。"我在说什么废话啊？

"呵呵，是吗？黄子捷现在好吗？"他突然抛出一个让我意外的问题。

"啊？还好啦，他怎么会不好，呵呵。"我愣了一下，然后又醒悟过来。

"你跟他相处得还好吧？"他问。

"还好啦，反正他也习惯被我欺负了。"我说。然后又想，应该是他欺负我才对吧？

"哈哈，"阿问笑得很开心，"小华你也会欺负人的吗？真的没看出来噢。"

"什么意思嘛？我的样子看上去就像被人欺负的对不对？"我说。

"呵呵，不是不是，你的样子看上去很温和嘛。"阿问说。

这个听起来还舒服一点，"就只有你看到我这个优点，他们都说我很凶的。"我说。

"那是因为你太要强嘛，其实你的性格是很温和的。"阿问淡淡地说。

是吗？阿问这么了解我吗？我真的是一个温和的人吗？

"里约热内卢经常下雨吗？"

……

我们聊着一些无关紧要的话题，天气啦，工作啦，旅游见闻啦，不知道是不是出于刻意，我们都没提到若兰。我当然是刻意的（谢天谢地这次终于能管住嘴巴），阿问呢？他是不是刻意的。我想起酒吧里流泪的若兰，那么美丽的天使啊，阿问怎么可能忘得掉呢？不知道不知道，也许他真的能忘掉吧。这么想着，心里有一些苦涩的味道。

"好了，不跟你聊太久了，ＩＤＤ很贵的哦。"阿问说。

"不要紧的啦。"我大大方方地说。

"难道你想一次把该说的话都说完？然后就再也不打电话给我了？"阿问说。

"当然不是。"我说。

"那我们就分几次来慢慢说，说到你厌烦为止，"阿问笑着说，"希望你不要厌烦。"

"不会的啦，"我说，"好了啦，就先聊到这里，少聊几分钟我又可以多买一罐热奶茶了。"

"呵呵，好的，多买的这一罐就给我寄过来。"阿问说。

终于放下电话，我长长地舒了一口气，心情前所未有得好。

回到房间，我随手拿了一本书在翻。看了好一会儿，发现自己还是停在第一页，心不在焉的，还是不要看了。把书放回去，我又待了一会儿，要不要告诉若兰呢？要不要要不要？我想来想去，拿不定主意。

阿问究竟是怎么想的呢？我猜不到。对啊，阿问一定知道我会怎么想，他应该可以猜到我会告诉若兰，说不定，他就是希望我告诉若兰的，对不对？不管了，反正我想见一见若兰，见了也可以不说嘛。

拨通若兰的电话，"喂，我是小华，若兰你还好吗？"

"小华啊，我很好啊，你好久没跟我联系了噢，最近是不是很忙？"若兰的声音还是那么甜美。

"呵呵，是啊，晚上有没有空？我们见见面吧。"我说。

"有啊，你找我当然有空，就在蓝调小城吧，晚上8点好不好？"若兰说。

"好的，那到时候见罗。"

挂了电话我有种如释重负的感觉，不知道若兰有没有察觉到什么，晚上再说吧。现在干什么好呢？还是先睡会儿吧，晚上还要陪若兰这个丫头喝酒呢。

躺在床上，用被子盖着头还是睡不着，想到晚上要面对若兰，莫名其妙有点紧张，我这么紧张干吗？又没做什么亏心事。可是该怎么对若兰说好呢？我也猜测不到若兰会有什么样的反应，阿问肯定没有跟她联系，但阿问却跟我联系了，若兰会不会想到什么别的？那样就麻烦了。想起若兰的性格，真不知道她到底会怎么对我。说到底，若兰到底是怎样的一个人，我始终也猜不透。阿问应该明白吧。

算了吧，等晚上再说好了。现在，先睡觉。

也不知道是什么时候睡着了。"铃——"被电话吵醒的时候是下午6点30分。

"喂——"

"还在睡觉啊，没吃晚饭吧。"是黄子捷这个家伙。

"是啊。"我懒洋洋地说。

"那就起床吃饭吧，懒虫，我一会儿来接你哦。"他说。

"不用了啦，我约了若兰。"我想跟黄子捷吃完饭肯定就赶不及了。

"好吧，那就快点起来，不要赖床了。"听不出来有没有失望的感觉。

"才不会呢，我本来就打算起床了。"我说。

"好了好了，不要狡辩了，明天下午我再找你，拜罗。"说完

他就挂了电话。

我从床上爬起来，忍不住又要把黄子捷腹诽一番。这个死人头，我比你懒吗？

洗漱完毕再换好衣服已经是 7 点 5 分了。我冲下楼，跑到街角买了两个水煎包塞在嘴里，先对付一下再说，总不能跑到酒吧去吃饭吧。

赶到蓝调小城已经是 8 点 5 分了，还好，不算迟到太久。走进去就看到若兰坐在角落，就是上次我们坐过的那张桌子，呵呵，她还真是个怀旧的人。她对我挥挥手，我走到她对面坐下。

"抱歉来迟了噢，下午睡觉睡过头了，呵呵。"我不好意思地说。

若兰笑一笑说："没关系啦，你今天不用上班吗？"

"是啊，身体不舒服被送到医院，老板给我放了几天假，"我说，"不过现在已经好了。"

"你啊还是老样子，要爱惜自己嘛，不要老是跑去医院，呵呵。"若兰说。

"什么嘛？你以为我很喜欢去医院啊，怎么你们个个都这么说？"我不服气地说。

她的头发好像跟上次不一样了，对了好像剪短了一点，颜色也变成金黄了，看上去好阳光的感觉，标准的开朗少女哦。谁要人家长得漂亮嘛？要是我也弄一个这样的头发就不会有人说我阳光，呵呵。

"最近很忙吗？你好久没跟我联系了噢。"若兰说。

"确实是很忙，应该说是太忙了。"我苦笑着说，"每天都要加班的，要不是放假，我也不能坐在这里跟你聊天了。"

"啊，工作这么辛苦就换一份轻松一点的嘛。"她说。

"这个……我好像没想过。"我说。我是真的没想过这一点，若兰的想法跟黄子捷好像。"黄子捷也叫我辞职，跟他一起开咖啡厅，我也没答应他。"

"你怎么可以这样？"若兰说，"帅哥一定伤心透了。一份工作有什么大不了嘛。"

"怎么会？我看他一点也不伤心的样子,他怎么可能会伤心？"我不服气地说。

"笨蛋，他是不想让你看出来，不想给你压力嘛。"若兰瞪着我说，很不以为然的样子。

"这样啊？真的是这样吗？"我吞吞吐吐地说，"那我是不是做错了？"

"当然是做错了，不过现在补救还来得及。"若兰用期待的眼神看着我。

"可是……"我嗫嚅着，想不出来什么理由。

"可是什么嘛？难道你不爱他吗？"若兰的话让我越来越招架不住了。是啊，我不爱他吗？我爱他吗？我好像没想过这个问题。

"怎么了嘛？你真的不爱他？"若兰受不了我的沉默，接着问我。受不了啦，我真的有点想落荒而逃的感觉，马的，往哪里逃呢？

"不是啦，"我考虑了一会儿才说，"我根本没想过这个问题，我只是觉得现在这样就很好了，不想有什么改变。"

若兰用深深的眼神看着我说："小华，你怎么能不想这个问题呢？失去了才知道珍惜就太迟了，我以前也是从来不想这种问题，可是等阿问走了，"她停下来，望着手里的酒杯，"我才发现我爱他，真的好爱他，可是已经来不及了，你知道吗？"

眼泪从她的眼角流下来，她悲伤的眼神让我的心也好痛。真的好痛，痛得眼泪都流出来了。我不知道该怎么办，若兰，我真的不知道。我是个逃避爱情的女人吗？想不出来答案，我爱他，我不爱他，我爱他，我不爱他，我怎么可能不爱他？除了爱他还能爱谁？

我是不是很自私？我问自己。黄子捷已经付出了那么多，那个悲伤的雨夜他就倒在我面前，那一刻我不是就已经爱上他了吗？难道那种感觉不是爱吗？那么你告诉我什么才是爱，告诉我啊。

若兰递了一张面巾纸给我，说："不好意思噢，小华，害得你也哭了。是我不好。"

"不是，"我接过面巾纸，"是我自己要哭的啊，不想哭的时候谁能逼着你哭呢？"

若兰看着我不说话，过了一会儿举起酒杯说："喝酒吧。"

"嗯。"我点点头，也举起酒杯。酒喝下去不知道是什么滋味，我想，该怎样把阿问的消息告诉若兰呢？

"若兰……"我叫了她一声，又不知道该怎么接着说下去。

"怎么了，小华？"她关切地看着我。

"我收到阿问的电邮。"终于说出来了，我低下头不敢看若兰的表情，却清楚地看到她放在桌上的手一震，像是颤抖的样子。

"是吗？他……现在好吗？"若兰说，我感觉到她的呼吸好乱。

"他在南美，我想，他肯定是要让你知道他的消息，他知道我肯定会来找你的。"我抬起头看着若兰，出人意外的，她的脸上没什么表情，可是眼神变得好散，茫然无助的感觉。

"他在南美做什么呢？"若兰小声说，我竟分不清她是自言自语还是在问我。

"他说在南美旅游，他在电邮里是这么说的。"我也小声地说。

"旅游？"若兰嗫嚅着，"他要跑那么远避开我吗？他是不是

很不愿意见到我？"

我待在那里，不知道该不该回答她的问题。

若兰接着说："他有没有提到我？"

"啊，有啊，他问你现在过得好不好。"我说。

若兰呆了一下说："你骗我，不用安慰我了，他怎么会提到我呢？"

我不出声，马的，我说谎的技术的确是太烂了。一时不知道该说什么好，说什么好呢？

"对了，这里有他的电话号码，他在里约热内卢，"我掏出一早准备好的纸片递给若兰。若兰接过纸片，呆呆地看了一会儿，又喝了一口酒，然后把纸片放进包包。

"小华，我劝你还是辞掉这份工作吧，陪帅哥去开咖啡厅。"若兰说。这家伙思维跳跃这么大？突然抛出这句话，让我有点措手不及。

"我……我要考虑一下，真的要考虑一下。"我说。

若兰的表情一下子恢复得好正常，我真有点佩服她。接着我们好像什么事也没发生过一样，继续聊天，说一些无关紧要的话。时间很快就过去了，从酒吧走出来的时候，连我都有种错觉，我真的跟她说过阿问吗？

我刚想说拜拜，若兰突然给了我一个拥抱，她拍拍我的后背说："小华，谢谢你，真的谢谢你。"我一下子愣在那里，还来不及做出反应，若兰就松开我，笑着说："跟帅哥好好相处噢，拜拜。"

我继续愣在那里，若兰总是这样，一点反应的时间也不给我。看她临别的笑容，像是真的很开心一样，可是眼神怪怪的，我也不知道该怎么形容，所以说就是怪怪的嘛。我想了一会儿，转身走到停摩托车的地方，还是先回家好了。

还是在家里最好，虽然这里还算不上一个像样的家，可是感觉跟家没什么区别哦，我可以待在这里慢慢地整理心情，这就是家的好处吧？我坐在沙发上想。

"铃——"门铃响起来，谁啊？不会是梅芬吧？她好像从来不按门铃的。我满腹疑惑跑去开门，啊？居然真的是梅芬！

"嘿，小妞，脸色好多了噢，"她笑着说，"有帅哥陪就是不一样。"

"你明天要上班吗？"她问。

"不用，怎么了？"我说。

"没什么，关心一下嘛，"梅芬若无其事地说，"你知道吗？黄子扬回来了。"

"啊？"我长大嘴巴，"怎么没听黄子捷说起过？"

"他今天刚回来的，一下飞机就打我电话，约我一起吃晚饭，我说晚上要加班去不了。"她说。

"这样子啊……"我说，一时不知道该说什么好。

"不过我答应他周末去吃饭，大家毕竟是朋友对不对？"梅芬说。

"是啊，那当然。"我说。

"你陪我一起去好不好？"她说。

"我？这个……"我刚想说不当电灯泡，还好没说出口，"我周末也约了人啊。再说，我休假了几天，周末可能还要去加班呢。"

"这样啊？"梅芬皱着眉头说，"你说我跟毅东一起去好不好？"

"这样不好吧？"我说。本来就是嘛，这样肯定很伤害黄子扬的。

"我也觉得不好，可是，"她停顿了一下，"我很怕单独面对他。"

"不要怕面对嘛，逃避不是办法啊，尽管面对好了，你的心会帮你做出选择的。"我怎么突然说出这么有哲理的话？我自己也觉得奇怪。

梅芬好像被我的说辞打动了，点点头说："嗯，你说的很有道理，我就一个人去吧。"

马的，我是不是又做错了什么？隐约觉得有点不对劲，可能是今天受了若兰的影响吧，不知不觉变得大胆了。

"好了，我下去睡觉了，明天还要上班呢。"梅芬说。

"嗯，晚安。"我点点头说。

送走梅芬，我想我也该睡觉了。可是今天发生了这么多事，怎么睡得着呢？再这么下去我肯定会神经衰弱，马的。

躺在床上心又开始翻腾，这也是意料之中啦。若兰临别时候怪怪的眼神一直在我脑海浮现。这个美丽的天使到底在想什么呢？想起她对我的质问，一阵迷茫又弥漫开来。爱这个东西为什么要这么复杂呢？不能简单一点吗？寻寻觅觅，我曾经以为已经找到了，遭到质疑的时候才发现事实不像我想的那么单纯，这个复杂的世界，哪里有什么单纯的事？是我太天真了吧。想来想去也想不到答案，可是不想的话更不可能有答案了，这么矛盾的东西，避也避不开，躲也躲不掉。刚刚我不是还劝别人勇敢面对吗？我自己为什么不勇敢面对？是啊，我想面对，面对什么呢？一团莫测高深的云雾，叫我怎么去面对？爱他，不爱他，多么简单的选择，偏偏就有这么多迟疑，不敢随便打个勾勾。爱就爱吧，不爱就不爱吧，像若兰那样的女孩子肯定是这样想的吧？真羡慕她。可惜羡慕也没用，她是她，我是我。自己的问题只能自己解决吧，若兰不是也有她的问题吗？黄子捷，他现在在做什么？是不是也在辗转反侧，想着没有答案的问题？

还有绍平，对了，绍平现在过得怎样了？我总是忘了跟他联

系。可是确实也很难跟他联系，他还是保持那个老习惯，不用手机，绍强给他买的呼机也不知道什么时候丢掉了，我简直有点怀疑他是故意丢掉的。他是个内心平静的人，不喜欢别人打扰，不过除了我，也没人能打扰他的平静吧？想到这里，又隐约有点歉然。我最对不起的就是绍平了，欠他那么多，也不知道该怎么还。黄子捷，难道我就不欠他吗？为了我他几乎舍弃了生命，我该用什么回报他？用我自私顽固的心？是啊，我根本就是个自私又顽固的女人，到现在还在问自己爱不爱他，而他爱我却是肯定的。

陷入一阵没有边际的自责，我忍不住从床上起身，心里烦躁得不得了，跑到客厅又冲了一杯奶茶，算了，今天不睡觉了。就当是惩罚我的自私吧。

打开电视，确实没什么可看的，现在的电视越来越难看了，算了吧，有得看就行了，别抱怨太多。我就是太爱抱怨了。看了一会儿电视，其实也不是看电视，根本就是盯着屏幕发呆，什么节目都没印象，连看的是哪个台都不记得了。只不过眼睛看着一样会动的东西，心里就不会那么空了。

算了，还是躺到床上吧。坐着发呆比躺着发呆更难受，我是这么认为的。躺下来，不知不觉就睡着了。

6

Waiting for a cup of Hot Milk Tea

像小偷一样

第二天一直睡到下午1点才起床，其实也不是自己起床啦，又是黄子捷这个死人头把我吵醒的。刚刚换好衣服门铃已经丁冬丁冬的在响，没好气地叫一声"来了啦"，冲过去把门打开。一脸可恨的笑容，纯白T恤加黑色直筒裤，漫不经心地站着，当然，除了黄子捷还有谁？我瞪了他一眼说："门铃按坏了要你赔。"

"没问题啊，这个门铃应该不是很贵吧？"毫不在乎的样子，真拿他没办法。

"懒得跟你说，怎么？准备去哪里嘛？"我说。

"陪我去看看外婆好不好？她最近身体不太好。"他看着我说。

"噢，"我呆了一下，主要是他的表情以及口气一下变得太正经了，我有点不习惯，"好啊，当然好。"我点点头。

刚坐上车我又想起来，"对了，我们是不是应该买点什么给外婆？"

"呵呵，这么有心啊，真的像个模范老婆噢。"他侧过头来对我笑。

"什么嘛？谁……谁是你老婆？"被他气得说话都有点结巴了。

"谁？我也不知道是谁啊，你知道吗？可不可以告诉我？"他扬起眉毛笑意盈盈地看着我。

"鬼才知道，不跟你说了。"我气鼓鼓地不理他。

"呵呵，又生气了，这样很容易老的噢，别生气嘛，给外婆的东西我已经买了，"他说，"不过她老人家不喜欢我给她买东西，我们悄悄把东西放到她的房间，然后就溜掉好不好？"

我被他逗笑了，哪有这样送东西的？"好了啦，随便你。"我说。

车速不是很快，我放下车窗，风缓缓吹过来。不是那种凉爽的海风，略微带一点暖意的，那种温度跟体温很接近，好像脸上被轻轻抚摸的感觉。天气非常好，简直是太好了，很久没有这样的好天气了，是不是上帝知道我今天休假？呵呵，白胡子上帝对我真是太好了。说不定他只是对黄子捷好，我只是顺便沾光。

车很快就到了那一小段山路，转个弯就是一大片开阔地。虽然不是第一次来了，可再次看到还是有一种莫名的震动。阳光下面几百坪的土地上，全是黄玫瑰，那种温暖透明的黄色聚集在一起，心也被照耀得温暖起来。风吹过来，黄色的花海泛起动人的波浪，我看看窗外，又侧过头看看黄子捷。他也用眼角看着我，嘴角带着笑意。一丝安静的无法描述的情绪在我们中间传递，我闭上眼都能感觉到。

车停在三合院门口，黄子捷和我走下车，轻轻地关上车门，好像我们都不愿意破坏这一片宁静的气氛。黄子捷对着我笑了笑，拉着我的手往里面走。我措手不及，只好被他拖着走，这家伙真是的，以前走路的时候从来不拖我手的。

走进院子里，葡萄架下面放着一把躺椅，外婆在躺椅上睡着了，小桌上的一杯绿茶还在冒着热气。我看着黄子捷，他竖起手指"嘘"了一声，又拉着我的手跑到院子外面。

"你干吗？"我问。

"哈，趁现在她老人家睡着了，我们把东西放进去。"他神秘兮兮地说，一边打开行李箱，提了几个盒子出来。这家伙买了这么多啊？吓我一跳，一堆乱七八糟的营养品，还有水果和茶具。我们轻手轻脚搬着一堆莫名其妙的礼物，经过院子，绕到一个房间

门口。

"这个是外公的房间，他肯定又去送花了，我们就放这里吧，这样外婆肯定发现不了。"黄子捷说。

"嗯。"我这个无辜的从犯只好点点头。把东西放好再走出来，我忍不住捂着嘴笑了。两个神经质的家伙，送礼送得好像做贼一样，呵呵。

黄子捷走到外婆旁边，轻轻拍一拍肩膀，叫了一声"外婆"。外婆睁开眼睛，"啊，是子捷啊——还有小华，太好了。"外婆拉着我的手，弄得我很不好意思。她老人家居然还记得我的名字，真是有点意外。

"快进来坐，进来坐。"外婆急忙走进中间的大屋，我和子捷跟着走进去。

"坐啊，我去给你们泡茶。"外婆说。

"不用忙了外婆，"我赶紧说，"我们带了饮料的。"

"喝饮料怎么行？全是色素，还是喝茶对身体好。"外婆不以为然地说。

我对着黄子捷吐吐舌头，只好乖乖地等着喝茶。黄子捷站起来说："外婆我去泡茶吧。"说完就走到后面的房间。

外婆坐在我身边拉着我的手说："小华你来了我太高兴了，怎么这么久都不来看外婆呢？"

"我……工作太忙了。"我扭扭捏捏地说。

"噢，那也是，年轻人还是事业要紧，子捷对你还好吧？"外婆说。

"啊？还……还好啦。"我说。心里暗暗地骂黄子捷，这个混蛋泡茶泡这么久？

"噢，那就好，你们打算什么时候结婚？"外婆又问。

还好我没喝茶，不然嘴里的茶水肯定要全部喷出来。我赶紧说："这个，我跟子捷都觉得还……不是……就是还太早了一点吧。"

"不早了，我像你这么大就生了子捷他妈妈了。"外婆说。

我一时不知道该说什么，瞠目结舌坐在那里。谢天谢地，黄子捷终于出现了。他拿个盘子端着几个茶杯走出来，说："聊什么呢？呵呵。"

"没什么，"我赶紧说，"我跟外婆随便聊聊。"

3个人坐在一起，感觉真的好像一家人一样。时间不知过了多久，门外传来卡车的声音。外婆笑着对子捷说："你外公回来了。"黄子捷愣了一下，说："噢。"转过头悄悄对我做个鬼脸。对啊，我们的东西不是都放在外公的房间吗？这下麻烦了。

外公还在院子里就叫了起来："子捷你来了，呵呵，可想死我们罗。"黄子捷站起来往院子里走，过了一会儿外公搂着他的肩膀走进来，看到我就说："是小华吧？呵呵，我们子捷真是有福气啊，

像小偷一样

109

能交到你这么好的女朋友。"哈，这句话我可爱听。我站起来笑着叫了一声"外公好"，外公赶紧招手叫我坐下，"你们先坐，我到后面去一下就回来。"说完就走出大屋。我看着黄子捷，他也看着我，他肯定想的跟我一样，糟糕了！

果然只过了5分钟就听到外公的叫声，他提着几个盒子走出来，"这个是你买的吗？"他问外婆。

"不是啊，我怎么会买这些，肯定是子捷他们。"外婆瞪着黄子捷说："叫你不要乱花钱买东西，你老是不听，我们要这些东西干吗？"

"不是啦外婆，是小华买来孝敬你们的，呵呵。"黄子捷对着我眨眨眼睛。马的，这个混蛋居然出卖我，也只好硬着头皮上了。我傻笑了两下说："是啊，外公外婆，是我买来孝敬你们的，子捷还劝我不要买呢，都是我不好。"

"哎呀，子捷你怎么能这么说小华？"外婆指着黄子捷说，"难得小华这么懂事，呵呵，不过以后千万不要破费了哦。"说着还拍拍我的头。我只好继续不好意思地傻笑，黄子捷悄悄对着我吐吐舌头，我还了他一记白眼。

外公硬拉着黄子捷去陪他下棋，黄子捷左推右推也推不掉，连我都在旁边说："你就陪外公下两盘嘛。"他苦着脸小声说："一下肯定就不止两盘了，而且啊，"他看看外公的脸色，"他老是悔棋。"

"呵呵，没有的事没有的事，"外公一边说一边摇手，"我今天绝对不悔棋，绝对不悔。"黄子捷一脸不以为然的样子，不过还是乖乖地跟着外公去了书房。

外婆去厨房准备晚饭了，我跑去帮忙，虽然我对厨艺一窍不通，洗洗菜之类的还是勉强能应付。外婆几次说不用我帮忙，我一再坚持她才答应了。其实我要帮忙也不是因为我太勤快，主要是没别的事情可以做嘛，下棋又不爱看，总不能一个人坐在那里发呆吧？帮了一会儿忙，发现自己好像是越帮越忙，芹菜茎全被我扔掉了只留下叶子，淘米把米淘到只剩一半。还好外婆好脾气，还好奇地问我："平常很少做饭吧？"我只好红着脸说："是啊。"何止是很少做，简直就是从来没做过，不过速食面倒是煮过几次，不知道算不算。外婆说："不要紧，慢慢学，外婆可以教你啊。"我点点头，然后背着外婆吐一下舌头。在厨房又待了一会儿，我找个借口就溜出来了。

刚刚经过书房就听到外公的声音，"就悔一步，一步，真的只悔一步，怎么一步都不让悔的？"

我忍住笑走进书房，外公正要从黄子捷手里抢回一个棋子，黄子捷就是不肯松手，"刚刚才说了不悔棋的嘛，"看到我走进来，他又说："小华你也听到了是不是？"

"没有啊，我刚刚没听到啊，"我笑着说，"黄子捷你也真是，

像小偷一样

111

就让外公悔一步嘛，这么小气的。"哼哼，谁让他刚才出卖我？我也出卖他一次好了。

外公马上眉开眼笑地说："呵呵，还是小华好，小华好。"黄子捷苦笑了两声，只好把棋子还给外公。我对他做个鬼脸。

外公悔了一步结果还是输掉了，真是没办法，不知道是黄子捷下得太好，还是外公下得太差。外婆叫我们吃饭了，黄子捷准备收拾棋盘，外公拦住他说："不用收了，吃完饭再下嘛。"

"不要啊外公，吃完饭我要送小华回去了。"黄子捷赶紧推辞。

外公问我："小华急着回去吗？多玩一会儿嘛。"我不知如何是好，黄子捷站在外公背后拼命使眼色，我心领神会，只好说："我也想多玩会儿啊，外公，可是我同学约了我晚上聚会，我不能失约啊。"

"这样啊，那真是太可惜了。"外公一脸失望的表情，黄子捷合起双手对我频频点头，表示极度的感谢。

"吃饭了啦，还在聊什么嘛。"外婆又催了，我们赶紧走出去。

饭桌摆在院子里，几缕阳光透过葡萄架照下来，一幅闲静的景象。说真的，我还从来没在院子里吃过饭呢。站在门口，一阵凉风吹过来，和着饭菜的香气，心情出奇的满足。

吃饭的时候外婆不停地给我和子捷夹菜，外公和子捷不时说笑，气氛真的好温馨，这顿饭吃得特别开心。吃饭的气氛是最重要的对吧？在高级餐厅能吃到最好的牛排最好的龙虾，可是菜单上却没有快乐这一项。

吃完饭外公外婆一再挽留，我解释了一次又一次，好不容易才肯放我和子捷走。等我们的车开到山路的转弯处，回头还能看见他们站在院子门口，望着车开走的方向。莫名其妙有点难过，快乐总是短暂的，这大概是永恒不变的吧。我看着黄子捷，他也用眼角的余光看着我，带着似笑非笑的表情，不知道在想什么。

"怎么了？我脸上有花啊？"他笑着说，"喜欢看就随便看，不用客气哦。"

"鬼才看你，我看那边的风景。"我说。

"是吗？噢对了，告诉你一个好消息。"他神神秘秘地说。

我不耐烦地说："你会有什么好消息告诉我？我才不信呢。"

"真的噢，怡君要结婚了。"他淡淡地说。

"什么？"我顿时愣住了，大脑瞬间短路，"怡君？结婚？"这两个词都离我好遥远，合在一起更是不可思议。

"是啊，婚礼就在下个星期天，她寄给我一张请柬。"黄子捷看着我说。

"是不是真的啊？"我还是有点不敢相信，"也太突然了一点吧？"

"呵呵，我也觉得，不过她应该不会拿这种事情开玩笑吧？"他笑着说。

我一时间沉默了，隐隐约约能猜到怡君做这个决定的原因，她应该还是爱着黄子捷吧。怡君那样的女孩子，不会轻易爱上别人，可是爱上了却格外的猛烈，甚至有点歇斯底里。好多往事慢慢从眼前浮现，那个疯狂的怡君，那个悲伤的怡君，我从来没恨过她，哪怕她伤害过我。我甚至突然想起小茹，"只是活着，就要看你们在一起，太痛苦……"，她宁愿选择死去，怡君难道也是因为同样的理由选择结婚吗？她那样的女孩子怎么会早早地结婚呢？我好像明白又好像不明白……

"怎么了？你不高兴吗？"黄子捷看着我说。

"高兴？我为什么要高兴？"我没好气地说。

"少了一个情敌啊，呵呵。"他笑着说。

"浑蛋，你胡说什么啊？"我忍不住骂了他一句，然后鼓着嘴不说话。

"生气了？"他小心翼翼地说，又轻轻碰了一下我的肩膀，"不要生气嘛，我开玩笑的嘛，对不起噢。"

"哼！以后不准开这种玩笑。"我狠狠地说。

"我保证，我发誓，以后绝对不开这种玩笑了，"他笑着说，"这样可以了吧。"

"一点诚意都没有，懒得理你。"我转过头去，把车窗放下来吹风。

"其实我想你陪我一起去的。"他说。

"一起去？去哪里啊？"我转过头来问他。

"婚礼啊，怡君的婚礼。"他说。

"这样啊？不大好吧……"想起怡君的性格，看到我跟黄子捷一起去，不知道会做出什么来。

"怎么？你怕啊？"他挑起眉毛看着我。

"不是啦……哎呀，是啊是啊，我怕她行了吧？"我不耐烦地说。

"你看你，这样你还放心让我一个人去？太残忍了吧？"他笑着说。

"有什么不放心的？难道怡君会吃了你？"我也笑着说。

"有可能哦，到时候我只好跟她说'小姐我一点也不好吃，吃了可能会拉肚子哦'。"他说。

我忍不住大笑起来，捂着肚子说："见鬼了你，你这种人吃了当然会拉肚子，哈哈。"

"那你就陪我去嘛，反正下个周末你也没什么事，再说你们毕竟是同学啊。"他用异常诚恳的眼神盯着我，我被他盯得受不了只好答应他算了，"好了好了啦，别用这么恶心的眼神看着我，我陪你去就可以了嘛。"

"好，一言为定，到时候可不能反悔噢。"他笑着说。

"才不会，我怎么可能反悔？你有见过我反悔吗？"我认真地说。

到家的时候天已经快黑了，我叫黄子捷不用送我上去，自己进了电梯。回到房间，看看挂钟已经是晚上7点了。

打开电视，全是些肥皂剧，无所谓啦，看着电视总不会那么无聊。思绪飞来飞去，一会儿想想黄子捷，一会儿想想怡君。

人真是奇妙的动物，看上去对爱情根本不在乎的怡君，爱起来却又那么猛烈，爱得如此猛烈的怡君，却又突然要结婚了。她爱那个男人吗？不，直觉告诉我，她还爱着黄子捷。或者结婚也是一种逃避爱情的方式吧。不知道黄子捷的心里想些什么。还有绍平，他的打算是怎样呢？对了，明天去看看绍平吧。

打电话给绍平，接电话的却是他的朋友，原来绍平还是保持着老习惯，不用手机，需要的时候就借用朋友的电话。没办法，只好跟他的朋友说，叫绍平打电话给我。

晚上10点多钟电话响起来，一接电话原来是绍平，他的朋友居然骑车骑了半个钟头去通知他，真是个有趣的家伙，大概是误会我跟绍平的关系了，呵呵。我跟绍平说明天去找他，闲聊了几句就挂了电话。

放下电话，心情格外轻松，好像对所有人都有了交代。该来的来了，该走的走了，没什么好意外的，上帝早就编好了剧本，我这么操心干吗?

上午10点懒懒地从床上爬起来,下楼推出摩托车,昏昏沉沉地向着龙潭进发。迎面吹来一阵凉爽的风,头脑清醒了好多。天气真的不错,有阳光,有风,有蓝天,有白云,差不多该有的都有了吧。

拐进那片熟悉的稻田,心跳渐渐放慢。10分钟之后,我看到了那片竹林。不知道绍平是不是跟以前一样,戴着草帽坐在湖边,望着湖水发呆。竹叶变得稀疏了一些,有的已经隐约开始枯黄,夏天过得好快,等竹叶落下一半,大概秋天就要到了吧。好在现在的阳光依然强烈,透过竹叶的缝隙落在路上,让人感觉还是身处夏天的怀抱。竹林中的泥土踩上去很松软,可能是最近下过雨吧。

我走到湖边,绍平转过身对我笑了笑,把手里的钓竿放下来,说:"你来了。"我点点头,在他身边坐下说:"今天收获怎么样?"

"还好啦,比上次要好一点。"绍平看着前方,淡淡地说。浮标动了一下,又静止下来。

"嗯,你最近在做什么?天天钓鱼吗?"我说。

"差不多啦,没课的时候,早上起来给老张帮帮忙,下午钓鱼,晚上呆在家里,有时候跟绍强他们出去,他不喜欢看我天天待在家,其实也没什么,是我太懒了吧。"绍平说。

浮标又轻轻颤动了一下,然后沉了下去。绍平把手腕一扬,一

条鱼随着钓竿跃出水面，在空中翻动挣扎，绍平把线收回来，取下钩上的鱼丢到湖里，鱼儿翻腾激起的水花溅到我手上。

"为什么把鱼放了？"我不解地问。

绍平笑着说："这条鱼还小，未成年的，呵呵。"挥动一下钓竿，丝线带着鱼钩划出一条弧线，又落在水里。

"是吗？"我说，"对了，我也想学钓鱼。"

"好啊，下个星期你过来吗？我帮你准备工具。"绍平说。

"嗯，你可要耐心一点教我。"我说。

"那当然，你也要耐心一点学噢。"绍平说。

"呵呵，这个我可不敢保证。"我笑着说，躺到草地上，用手臂作枕头，望着天空发呆。云彩在天空里流动，排成难以描述的形状，远远地看过去，每一块云彩都像一张熟悉的脸，黄子捷，阿问，绍平，若兰，这一块飘过去，那一块飘过来，似乎要对我表达些什么，可惜我怎么也看不明白，那是天空的语言，生活在地面的我怎么可能会懂呢？风吹动云彩，也许吹动云彩的不仅仅是风，还有我们说不出来的动力，命运，缘分，爱情，不管是因为什么，云彩飘动的过程看起来都是一样，或者不是飘动，是飞翔吧。在离天堂最近的地方飞翔，为什么不安静地待在天堂呢？为什么要飞来飞去？让天空变得不平静，让我的心也跟着乱起来，毫无来由地乱。

想想钓鱼，这种姿态真的适合我吗？我打算从湖水里面钓起什么？不知道，钓鱼根本不是为了钓鱼，那是为了钓什么？湖水看上去像是面镜子，镜子里照出来的是怎样的我？湖水，鱼和水草，平静的生活从不曾被打乱，除了风，让湖面轻微的骚动，那也没什么，骚动总会平静下来。从静止的湖面垂一只鱼钩下去，让鱼离开水，让水离开鱼，缺少了一条鱼，湖还是原先的湖吗？或者只是我多虑了吧，一个小小的鱼钩，不可能破坏千百年平静的湖。何况，我只是想坐在湖边发呆，钓鱼应该是个不错的借口吧。

　　天色渐渐暗了下来，西边的云彩边缘开始泛红。红色代表热烈，傍晚红色的云彩却让人怅惘，大概是因为夜晚就要降临的缘故。晚霞下边，绍平的背影看起来温暖，又有一些寂寞。我呆呆地望着他，想像他每天的生活。每一次的晚霞下面，都有一个这样的身影在湖边，等着夜晚降临，那是什么样的感觉呢？我肯定没法过这样的生活，即使不是独身一人，这样的场景也让我忧伤，绍平肯定比我坚强得多，他能这样度过每一天，还能从中发现乐趣。

　　"走吧，绍平。"我坐起来对他说。

　　"好啊。"绍平慢慢把钓竿收起来，站起来，对我伸出手。我拉着他的手站起来，心里有些异样。绍平拿着钓竿和鱼篓走在前面，我慢吞吞跟在后面。傍晚时分的竹林看来却格外明亮，红色

的霞光映在竹叶上，显得温暖，一种透明的温暖。

"小华，你来了啊。"老张站在他的小饭馆门口，远远地跟我打招呼，我报以一枚灿烂的笑容。绍平走过去，把鱼篓递给老张。我们走进小饭馆，老张搬出两张竹椅子，让我和绍平坐下，然后提着鱼篓去了厨房。绍平笑着说："有没有发现这里的变化？"

变化？没留意哦，有变化吗？我四处打量了一番，没发现什么特别的地方。说实话，上次来这里是什么样子我已经不大记得了，反正桌椅还是原来的桌椅，卷帘还是原先的卷帘，人也是原先的人，惟一的变化就是时间。时间当然会变，这又有什么好奇怪的呢？

"还没发现吗？"绍平指着墙壁说，"这里多了一幅字噢，没看到吗？"我顺着他的手指看过去，一张卷轴上写着"笑看云卷云舒"，我也认不出是什么体，大概是行书吧，看上去很舒展的样子。

"是你写的吗？"我惊讶地问。

绍平点点头说："是不是很难看？"

"哪有？才不会难看，写的很好啊。"我站起来走到墙边仔细看。夕阳的光线透过竹帘，斜斜地映在墙上，卷轴像是装裱过，墨色很鲜明。笑看云卷云舒，谁在那里笑看呢？戴草帽的男孩子坐在湖边，风生水起，云卷云舒，脸上始终带着微笑，痛苦和磨难与他无关。他不属于这个世界，像一个超脱的旁观者，看世人恩怨纠缠，心里却没有悲喜。只是有一天，一个无知的小女人碰到看云的他，觉得他的身影太过寂寞，于是拖着他来到世间，经历一趟撕心裂肺的旅程。旅程的终点他独身一人，那个自私的小女人早已躲在一边。他没有怨言，心情依然像是湖水，有人曾投下一块石头，他心动过，现在又恢复了平静，笑看云卷云舒。

　　我什么时候平静过？好像没有。我以为自己需要平静，原来自己却是个怕平静的人。整天抱怨身边的世界太乱，等真正安静下来的时候，又觉得害怕了。大概红尘俗世中的人都不过如此吧。平铺直叙的电视剧没人爱看，总要有点起落，一天几遍的悲欢离合，才有人愿意追着看。我不是说别人，我自己就是这样。现在才隐约明白，为什么最终没能和绍平在一起。我们是两部同时出发的车，在途中交会一段，然后驶往不同的方向，这是注定的。所以嘛，不关我的事，都是上帝的错。呵呵，这样一想，心情就好多了。

　　"看得那么认真？"绍平走到我旁边说，"你对书法也有研究吗？"

　　"怎么可能嘛？"我吐吐舌头，绍平在身后拍拍我的肩膀，递给我一罐饮料。

　　我接过饮料，热奶茶？这里怎么会有热奶茶？我张大嘴巴看着绍平，他肯定猜到我心里的问题，笑着说："知道你要来，专门为你准备的，你可是这里的贵宾噢。"

像小偷一样

　　我笑着点点头。奶茶的温暖从手里延伸到心里，打开拉环我又犹豫了一会儿，舍不得把它喝掉，最好就让这温暖一直留着，不要冷却。

　　"怎么不喝呢？改变口味了吗？"绍平说。

　　"没有。"我摇摇头，喝了一口奶茶，还是一样的醇香。

　　吃完饭绍平送我到路口，"拜罗，你要保重哦。"

　　"嗯，你也保重。"绍平笑着点点头。

　　回去的路上，心情有些异样。绍平说我变了，我真的变了吗？那是当然的，时间一天天过去，谁没有改变？只是自己没办法察觉。学校里的我，跟现在肯定有区别吧，可是说不出来区别在哪里。周围的人也变了，一转眼什么都变了，有什么是不变的？爱情？可是书上、电视上，变得最多的不就是爱情吗？不变的是，每个人都梦想爱情。爱情里面的男女主角变来变去，爱情这个最大的舞台却没变。

　　一阵急刹车的声音传来，"喂，骑车不长眼啊？小心点啊，你。"一个愤怒的卡车司机伸出头对我大吼。

　　"不好意思不好意思，对不起啊。"我赶紧低着头道歉。马的，骑车的时候老是走神，差点开到逆行的车道。还是赶快骑车走人吧，别胡思乱想了。

　　好不容易开到公寓楼下，我松了一口气。放好摩托车，上楼，回到自己的房间，墙上的挂钟刚刚指向7点。做什么好呢？没心情看书，还是看看无聊的电视吧。电视被设计出来就是为了拯救无聊的人。拿起遥控，随便挑了一个台，看到一些人，听到一些声音，心里总算没那么空了。这样也好，免得一天到晚胡思乱想。大脑运转了一整天，也该休息一下了。

看电视实在太容易消磨时间了，转眼就是晚上10点，我松了一口气，10点钟睡觉也不算过分吧。可是心里还是有些莫名其妙的兴奋，怎么可能睡着呢？自己冲了一杯奶茶，坐在沙发上慢慢喝。味道始终有点不一样。奶茶要从别人手里递过来，才有最地道的温暖感觉，是这样吧？传递温暖的道具，就是奶茶的真相。

"嘭嘭"有人在敲门，肯定又是梅芬。只有这个家伙才对门铃熟视无睹，每次都用这种原始的方法，既折磨自己的手，又折磨我的门，真不知道她怎么想的。

打开门，梅芬直直地冲进来，倒在沙发上，"好烦啊——"夸张地叫了一声，搞得我不知所措。

"烦什么嘛。"我嘀咕了一声，走过去帮她冲奶茶。

"没什么，没什么，唉。"梅芬叹了一口气，一副忧伤过度的样子。

"切，鬼才信你，"我不以为然地说，把奶茶递给她。她接过去喝了一口，呆呆地坐着，眼睛不知道看着哪里。

　　"喂，有话要说就快说嘛，"我伸手在她眼前晃了晃，她抬起头看了我一眼，才悠悠地说："我今天跟黄子扬一起吃的晚饭。"

　　"这样子啊。"我点点头，隐约猜到她的烦恼。可怜的梅芬，现在肯定彷徨得不得了。上次来找我的时候，已经在为这件事心烦了，现在见了面，还一起吃过饭，真不知道会发生什么。

　　"他说他会一直等着我，"梅芬用无助的眼神看我，"他说无论我怎么选择，他都绝对尊重，他要我也尊重他的决定，他的决定就是等下去，一直一直等下去。"

　　突然心口有点发紧，闭上眼睛，似乎可以感觉到一双坚定的眸子，目光在我脸上定格，不是黄子扬，是黄子捷。同样坚定到近乎固执的性格，难道是遗传吗？看上去漫不经心，一旦认定就绝不放手，两兄弟都是感情的死硬派。这样的男孩子，该怎样对待呢？梅芬，你真的忍心拒绝吗？可是，可是毅东呢？他们经历过这么多风雨，才可以一起厮守，这样的感情，还能经受更多风雨吗？谁叫我们的心那么狭窄，一颗心只装得下一个人。

　　"你怎么回答他？"我小心地问梅芬。

　　"我能怎么回答呢？小华，你说我应该怎么回答啊？"梅芬皱着眉头说。

　　我摇摇头，"不知道，我怎么知道呢。"

　　"是啊，不知道，我也不知道，只能不说话，像个白痴一样拼命喝果汁，哎呀烦死了。"梅芬用手抓着头发，头深深地低下。

是啊，该怎么回答呢？难道说好吧你接着等吧？还是说拜托你别再等了？不管怎么说都太残忍。Yes or No，这么简单的问题却没办法回答。只有沉默了，难道沉默就不会伤害对方了吗？再说，也不能一直沉默下去啊。总得说点什么吧。

"后来呢？你们就一直不说话啊？"我问梅芬。

"没有啊，那样哪里还吃得下饭嘛，他好像明白我的心思，就岔开话题，说笑话给我听啊。"梅芬说。

"哈，什么笑话啊？说来给我听听嘛。"我拿起遥控把电视关掉，挨着梅芬坐下来。

"不记得了。"

"怎么可能嘛？你刚刚才听过哎。"我盯着梅芬说。

"放过我吧，我真的没心情说笑话。"梅芬苦着脸央求我。

"算了罗。"我耸耸肩，一时之间也不知道该说什么好。我不擅长安慰别人，我也不相信世界上有所谓的感情大师，可以为恋爱中迷茫的人指点方向。一千个人，就有一千种爱情，谁能读懂别人的爱情？我没那种奢望，自己都找不到方向，哪敢给别人指点。惟一能做的，是等别人自己决定方向，然后给她加油打气。虽然方向不一定对，可是毕竟是自己选择的，剩下的就交给上帝吧，我才懒得想那么多。

　　"小华，你说我该怎么办？怎么办嘛？"梅芬看着我说，眼神迷惘。我摇摇头，不出声。梅芬转过头去，也不出声。也许她没打算从我这里得到答案，也许她问的不是我，是她自己。

　　"顺其自然吧。"我小声说，虽然是一句废话，但总比什么都不说好。梅芬点点头，"好吧，顺其自然，不然还能怎样呢？"她举起手里的纸杯，"来，干杯！"我跟她碰了一下杯，两个人一起把奶茶喝光，然后一起笑了起来。

　　梅芬放下杯子，"我走了。"走到门口，又转过头来说："谢谢你的奶茶，不过太烫了一点。"对我伸伸舌头，走出去，关上门。

　　是奶茶的力量吗？心情轻松了好多，看看挂钟，已经11点多了，该睡觉了。嗯，先去洗个澡。

　　躺在床上，想到绍平，想到梅芬，脸上不知不觉泛起了笑容。但愿他们都能找到幸福。听到了吗，绍平？还有梅芬？一定要幸福，要比我幸福才对。还有坏蛋黄子捷，你也要幸福，可以的话，也给我一点幸福。那样的话，这个世界就差不多完美了。

7 *Waiting for a cup of Hot Milk Tea*

朝南美洲飞去

　　无所事事了几天，又要上班了。想起那堆设计稿，头就大了两圈。不过离开公司这么些天，心里竟然有些牵挂，不知道是为什么。大概忙碌也是幸福的一种吧，只能这么解释了。

　　星期一早上，走进办公室就引起一阵骚动。

　　"小华你终于出现啦！"

　　"小华我好想你噢！"

　　"小华身体还好吧？"

　　……

　　手忙脚乱应付了所有的同事的骚扰和慰问，我赶紧逃到工作间。小宝把头埋在一堆稿件里面，看上去很用功的样子。我轻轻走到他身后，用力拍一下他的肩膀，大叫一声"喂"。他哇的一声跳起来，惊魂未定地看着我，用手指着我说："你……你想吓死我啊？"

　　"是啊，可惜没成功，"我笑着说，"对不起了啦，我是想给你个惊喜嘛。"

　　"呵呵，"他笑着摸了摸头发，"看到你我已经够惊喜的了，谢天谢地，你竟然还活着，劫后重生啊，来拥抱一下吧。"说着伸出手做拥抱的姿势。

　　我狠狠地给了他一拳，"少臭美了你，美女是随便给你抱的吗？"

　　他捂着肚子扮出痛苦的表情，"我当然知道，美女是不能随便抱的，"然后一脸坏笑看着我说："想不到不是美女也这么难抱到。"

　　"找死啊，你！"我干脆踩了他一脚，这下他的痛苦表情就不是装出来的了。

　　把这几天的工作交接了一下，小宝就忙他的去了。我打开电脑，整整3天没面对，现在竟有些陌生了。真是奇怪，有什么是我熟悉的呢？

　　上一个案子已经接近尾声了，大半工作都是小宝做的。可是新的案子又积了两个，这下可能比以前更忙了，没办法，我们是万能的广告人，只好累死累活挑战极限了。

手机嘟嘟响了两声，大概是新讯息吧。暂时不理好了，先把这个版式弄好再说。

一个手册的版式就花了两个小时，搞不好还可能要返工，不管了，起码可以先有个交代嘛。我拿起手机，按下读取信息的按钮。

"我在机场，我要去找阿问了，祝福我吧，小华，你要保重噢。——若兰"

大脑一瞬间短路了，发生了什么事？若兰去找阿问了。我愣了一阵子，才慢慢理清思绪。赶紧拨过去，语音提示说关机了。难道她已经登上飞机了吗？若兰，我心里反反复复念着这个名字，不知道是什么感觉。想起那天，在酒吧门外若兰奇怪的眼神。一定是从那一刻起，她就做了这个决定。那个眼神，对了，是义无反顾的眼神，为爱义无反顾的眼神。莫名其妙的，鼻子有点发酸。若兰，你真的走了吗？我喃喃地念了一句，眼泪顺着脸颊滑下来。

阿问，你还在南美洲继续流浪吗？巴西的阳光和海浪，也冲不去你的忧伤。现在好了，阿问，你的天使张开翅膀，向着你的方向飞来了。从台湾到里约热内卢，幸福的暖流不远千里，沿着太平洋流动着，目的地就在前面了。阿问，你也张开翅膀，到天上迎接她吧。全世界都为你们祝福。

为什么伤感呢？我问自己。没道理的，有什么可伤感的？若兰的勇气让我惭愧，当然应该惭愧。一个一直逃避的，自私的小女人，有什么理由不感到惭愧呢？难怪我没资格做天使，天使都是有勇气的、美丽的人儿，我哪里有资格？我应该老老实实在地上待着，永无止境的烦恼，再过一万年也长不出翅膀。没有怨言，这都是咎由自取。就算给我一双翅膀，我也不敢飞到天上，是啊，我不敢离天空太近，怕被阳光灼伤。为了一份怯弱的安稳，放弃飞翔的自由，我的生活就该是这样。曾经羡慕天使在天空翱翔的美丽，这一刻才突然明白，翅膀下面隐藏着伤痕，只是他们不在乎伤痛，勇敢地飞起来了。一切美丽、自由、幸福，都是他们应得的。除了羡慕，我还能做什么呢？

"喂，你怎么了？没事吧？"小宝在身后拍一下我的肩膀。

"噢，没事，没事。"我擦了一下眼睛，对小宝说。

"没事就好，"小宝耸耸肩，"午饭时间了，你想吃什么？我帮你去买。"

"随便啦，你吃什么顺便帮我带一份就好了。"我漫不经心地说。

"那好吧。"小宝对着我微笑一下，转身走出去。不知道为什么，心里有一丝难言的温暖。是啊，有人关心总是好的，我想是这样吧。

埋头继续弄我的设计稿，也不知道过了多久，小宝提着两个大塑料袋回来，满脸笑容，莫名其妙的，有什么值得这么开心嘛。他递了一个便当给我，然后又递给我一罐热奶茶，我对他微微笑了一下，他不说话。铺开报纸，我们就在工作台上开始我们的午餐。

"你真的没事吧。"小宝看着我说。

"不知道，我不知道。"我说，刹那之间心里真的好乱。真的不知道该怎么回答他。我不想把自己的想法说出来，但是一种对人倾诉的欲望始终在翻腾。我打开热奶茶的拉环，愣了一会儿。

"是这样的，我有个朋友今天离开台湾了。"还是忍不住说了出来。

"这样啊，"小宝挑一挑眉头，"你很难过吗？"

"也不是啦。"我摇摇头，不知道该怎么表达。想了一下，慢慢地说："我的朋友叫若兰，是个女孩子，我第一次见到她的时候……"

很多事情一旦开始就很难停下来了。我端着奶茶罐，诉说若兰和阿问的故事。那个时刻好像时光在一瞬间倒流，我忘了是在对谁诉说，只是一个人独自回忆，把那段回忆从口中慢慢倾倒出来。有没有人在听，是谁在听，我都不在乎。

心回到那个寒冷的夜，独自徘徊的时候，乡公所的长椅上有

人坐着，我不知道他是谁。是啊，现在我知道了，他是阿问，一个等待天使的男孩子，眼神永远忧郁。回忆那一刻的时候，忧郁也沾染到我了吧，我想，从我的眼神可以看出来。当然还有若兰，花一样开放的人儿，独一无二的天使，我总是说不清楚她是一个怎样的人，我只知道她是天使，偶尔落在地面，适当的时候回到天上，跟阿问一样。现在天使和天使就要会面了，他们的光亮一定会照耀整个天空，我在台湾也能看到，那种光亮和温暖，从里约热内卢，或者任何其他地方传过来。我该怎样？欢乐，还是悲伤？或者每样都有一点？我紧紧握住手里的奶茶，相信它有魔法的力量，让温暖更温暖，让幸福加倍。是啊，他们幸福了，我也应该幸福。

"那么，"小宝侧着头看我，"你喜欢阿问吗？"

这个问题让我猝不及防，是我不小心流露了什么吗？不会，怎么会呢。我不想摇头，也不想点头，只是淡淡地看着小宝，保持镇定，"怎么会这么问呢？"

"呵呵，我也不知道，感觉吧。"他笑着说，"你可以不回答的。"

好嘛，那我就不回答了。我把最后一口奶茶喝完，"吃饭吧，菜都凉了。"我试着转移话题。

我们低着头吃饭，吃完饭小宝也不再追问我什么。我拿起手机编了一条讯息："为爱去飞吧，祝你们幸福——牵挂你的小华"

呆呆地坐了一会儿，干脆又拨了一个电话，当然是给黄子捷，"喂，晚上有没有空一起吃饭？"

　　"当然有，"黄子捷很爽快地说，"不过好奇怪噢，你从来没有主动约过我，今天怎么啦？"

　　"什么怎么啦？我不能约你吗？想你了不行吗？"

　　"呵呵，当然可以，"听起来他笑得很得意，"你约我我不知道多开心呢，等我来接你下班吧。"

　　"好了啦，这么罗嗦，就这样吧，拜罗。"说完我挂掉电话。什么也不想，真的什么也不想，开始工作吧。努力工作的好处就是，可以忘掉一些烦心的事情。

　　刚刚忙了两个钟头，ＡＤ跑过来跟我说："刚回来啊，还习惯吧，小华？"

　　"怎么会不习惯嘛，才两三天没过来。"我没好气地对他说。

　　"呵呵，这样就好，今天公司又接了两个新案子，这两天可能要更加辛苦噢。"他笑着说。

　　马的，就知道这家伙跑过来不会有什么好事。认命吧，反正已经是超负荷了，再超一点也没关系。我有气无力地说："好了好了，我会拼命工作的啦，干吗这么不相信我？"

　　"不是，我怎么会不相信小华呢？我不过来给你打打气嘛。"ＡＤ一本正经地说。

打什么气嘛？听了他的话我只会更泄气。"那就谢谢啦，我现在斗志已经高昂得不得了啦。"

"那就好嘛，还有，等这两个案子完工，公司会开一个巨型的庆功宴犒劳大家噢。" Ａ Ｄ 神秘兮兮地说。

下班时间快到了，小宝过来说："准备下班啦，你要早点回家噢。"

"干吗要早点回家？这么多事情没做完。"我瞪着他说。

"你不会又要加班吧？"小宝露出夸张的表情，"拜托你不要啦，我留下来就行了嘛，别又把身体弄出问题。"

"什么什么问题啊，要你管？"我不服气地说。

"怎么会不要我管？"他张大眼睛说，"别忘了上次就是我把你抱下楼的哦，说真的，你好重噢。"

我忍不住给了他一拳，"找死啊你，我这么苗条你敢说我重？"

手机响了起来，大概又有新讯息来了，"下班了吗？我在楼下等你。"这个家伙这么早跑来干吗？算了吧，别让他在楼下站岗了。

"好吧好吧，我下班就是了，明天我一定要加班，不然这么多工作怎么做得完。"我对小宝说。他耸耸肩膀，一副不以为然的样子，不跟他计较了。

我拿起包包，冲到洗手间照照镜子，还好，不算太难看，当然也不是很好看，早上随便套上的深灰色T恤，衬着脸色格外苍白，眼睛也有一点肿。嗯，可以了，反正不至于吓到别人就行了。

走到楼下，黄子捷笑意盈盈地迎向我，今天好像穿得特别随便，窄腰的无领套衫加上浅褐色工装裤，看起来跟我倒是满般配的，算他识相啦。要是他穿得太整齐，我真的不好意思站在他旁边。

"今天心情格外好啊，居然想起来约我吃饭，去哪里吃呢？"他摸摸我的头发，温柔地微笑。

"随便啦，要不去吃西餐好了。"

黄子捷的车在市区兜了半个钟头，找到一家西餐厅，"这家的牛扒很不错的。"他侧过头对我说。

"试试看罗。"我说，跟着他走下车。不管味道怎么样，餐厅的气氛确实很不错，这大概是西餐厅最大的优点吧。若有若无的背景音乐，淡淡的灯光，加上摇曳的烛光，在这里一切心情都会慢慢平静下来，现实的烦恼被餐厅的落地玻璃窗挡在外边。

西餐厅的另一个好处就是，不用为点什么菜大伤脑筋，一份牛扒一杯红酒就OK了，适合我这种头脑简单的人，呵呵。

"我要五成熟的。"黄子捷交代侍者。

"我要七成熟。"我说，然后指责黄子捷："五成熟这么血腥你

也吃得下？"

"呵呵，两成熟的我都吃过，有什么奇怪嘛？"

"懒得跟你说，原始人。"我不屑一顾地说。

"原始人也好啊，贴近自然，"他笑着说，"哎，今天是不是有什么事发生了？说来听听嘛。"

"干吗啊，约你吃一次饭而已，搞得这么紧张，那我以后不约你好了。"我忍不住嘟起嘴巴，开始生闷气。就是嘛，怎么我的心事这么容易被看穿？看他那个可恨的样子，好像什么都瞒不过他一样，臭美！

"别生气别生气，我道歉，郑重道歉。"他举起双手，做了一个投降的姿势。

"好了啦，我要是这么容易生气，早就被你气死了。"我说。

侍者端上来牛扒和红酒，黄子捷很有风度地为我倒酒，一副过分殷勤的样子。

"来，为小华女士复出广告界干杯。"他端起酒杯说。

"什么复出嘛，搞得那么夸张，找个像样点的理由好不好。"我笑着跟他碰杯。

"那就，为小华今晚的美丽干杯，好不好？"他一本正经地说。

"切，言不由衷，罚你一杯，自己喝好了。"我用手指点点他的额头，他突然握住我的手，轻轻地吻一下手背，看着我说："不是言不由衷，在我眼里你就是最美的啊。"

我的脸颊一阵滚烫，赶紧把手缩回来，"你干吗，一下子这么煽情。"声音小得只有自己听得见。

他目不转睛看着我，满脸都是笑意，"快点吃吧，别等牛扒变冷了。"这个家伙思维跨度这么大的？我被他弄得不知所措，只好乖乖地吃东西。不过说真的，味道的确很棒。还是说一下食物好了，我一边吃一边跟他讨论，比如哪一家的牛扒最好吃之类的，总之都是些无聊话题。

喝下去两杯红酒，我想了一会儿，对黄子捷说："若兰今天走了。"马的，看来我心里真的藏不住秘密。

"嗯。"他点点头。

"她……她去里约热内卢，找阿问。"我结结巴巴地说。

"嗯。"他又点点头。

"嗯你个死人头啊，你给点反应好不好？"我忍不住指责这个无动于衷的家伙。

"你想我给什么反应嘛？给点提示好不好？"他一脸无辜地望着我。

"你难道一点都不惊讶吗？"气死了，这个家伙也太冷淡了吧？

"不惊讶啊，"他看着我说，"是我用车送若兰去的机场。"

"什……什么？你送她去的机场？"我张大嘴巴愣在那里。

"是啊，若兰跟我说她要走了，要我好好照顾你，然后我就去送她嘛。"他小声说。

"你……你混蛋！你怎么不早点跟我说？怎么不早点说嘛？"差点被他气疯掉了，马的，我还想了半天，该怎么跟他说这件事，想不到……气死了。

"我以为你知道啊，若兰不是说告诉你了吗？"黄子捷说。

是啊，她的确告诉过我。可是……可是什么呢？我想着想着，就有点泄气了。干吗要搞得好像自己心里有鬼一样？

沉默了一会儿，黄子捷说："其实我们应该为他们高兴，对不对？"淡淡的笑意从他脸上泛起。

"是啊，我是感到高兴，"我点点头说，"来吧，为他们的幸福干杯，这个理由再好不过了。"

我们碰杯，相视微笑。

车停在公寓楼下，我们下车，站在大厅门口。我看看手表，才7点钟，"我们到公园坐会儿吧。"我说。黄子捷点点头，拉着我的手，往公园的方向走过去。

"今晚的月色不错。"他说。公园的小路上时而有人走过，不管什么时候，这个公园始终有人来来往往。长椅上坐着的，都是相依相偎的一对。我们转了10分钟才找到一张无主的长椅，一起坐下来。

"你知道这里种的是什么花吗？"我指着面前的一片花丛，问黄子捷。

他摇摇头，"不知道，还是你告诉我吧。"

"我怎么可能知道？所以才问你嘛。"我说。

"应该是大丽菊什么的吧，"他耸耸肩，"反正不是玫瑰，也不是百合。"

"这个我也知道，哪里用你说。"我对他的猜测不以为然。

他微微一笑，把手伸过来，搂住我的肩膀。月光洒在面前的卵石路上，我低着头，不敢看他的表情。心跳加快了好多，呼吸也有点乱，还好慢慢就平静下来了。轻轻把头靠在他肩上，他似笑非笑地看着我，刚想说话，他用手指按住我的嘴唇，"嘘——"，神秘兮兮的。

我不说话，就这个样子也很好，以后的日子，一直这样下去也很好。思绪在这里渐渐慢下来，就像流过浅滩的河水，汹涌了好长一段距离，终于变得平静舒缓。飞啊飞啊，总有觉得累的时候，停下来梳理一下羽毛，看看周围的风景，也是一种快乐吧。对吗？若兰，你飞到哪里了？不管在哪里，总之是离他越来越近了，这样想着，就不会觉得旅途漫长了。

"喂——"我坐起来想跟黄子捷说点什么，他又做了一个保持

安静的手势，我刚想发作，他突然靠过来，轻轻吻一下我的嘴唇。

呆呆地望着他，他的眼神看起来那么深远，不知道藏着什么样的情怀。不，我怎么了？呼吸越来越凌乱，我低下头不想看他。他托起我的下颔，轻轻地说："别躲着我……"紧紧把我抱住，深深地吻下来。天哪！我就要窒息了，发生什么了？大脑一片空白，思维停止，时间也停止了，初春的河面上，漂浮的碎冰正在融化，被无处不在的温暖包围。上帝，就这样吧，让时间定格，让我心里的阴霾全部消散吧。我搂着他的肩，笨笨的不知该如何回应，只知道紧紧抓着他的衣服，像溺水的人紧紧抓着一块浮木。

许久才分开，我真的不知道究竟持续了多久，置身风暴中的人哪里记得什么时间？他定定地看着我，目光有如深潭，一不小心就会陷进去，从此再也出不来。我为什么要小心呢？陷进去不是很好吗？刚刚的甜蜜，令人窒息的幸福感，难道是假的吗？没理由逃避，真的，我这样告诉自己。

我松开手，坐正身体，低下头想了一会儿，然后用手肘撞了一下他，"你这个坏蛋！"

他微笑着，伸手掠起我脸颊旁的长发，一圈一圈绕在手指上面。我打一下他的手，"你好烦嘞，走了啦。"说完站起身。

他跟着站起来，耸耸肩膀，"那就走吧。"搂着我的肩膀往回走，我犹豫了一下，最后还是决定不把他的手推开。

公园离我的公寓只有5分钟路程，走进大厅，我按开电梯，对他挥挥手，"拜罗。"他也挥挥手，站在电梯口望着我，直到电梯门合上。

刚走出电梯手机就响起来，一接电话，居然是吴宇凡这个家伙。"呵呵，好久没联系了噢，小华。"

听到他呆呆的声音我就想笑，"是啊，怎么突然想起来给我电话？"我说。

"明天晚上有没有空嘛，我和佳涵请你吃饭。"

"当然有空啦，没空我也要抽空，难得你几百年才请我吃一次饭。"我笑着说。

"呵呵，那好啊，明天晚上7点30分，到我们家吧。"

"OK啦，不见不散。"

挂掉电话，回到自己的房间，又开始猜想，吴宇凡这家伙搞什么鬼？突然要请吃饭。算了啦，去了就知道了。最近我好像越来越多疑了，这是不是证明我越来越老了？马的。

一望无际的海水，蓝得叫人心动，我却没心思欣赏。拼命地游啊游啊，就快筋疲力尽的时候，终于看到前方有一个小小的岛。一激动又呛了两口水，好苦！我爬上岸，一动也不想动，好累啊！不记得游了多久，反正我实在是动不了啦，体力彻底透支，像条死鱼趴在沙滩上。

好小的岛哦，10分钟就可以绕着它走一圈，岛的边缘居然还有一棵椰树，就像漫画里经常看到的那样。我呆呆地坐在岛上，望着海天交际的地方，等着一艘万吨巨轮出现。这艘轮船上应该有舒适的客房，有很棒的餐厅，他们把我救上去之后，应该先让我大吃一顿，然后好好冲个澡，再准备一间最漂亮的房间给我睡觉，还有……唉，不要想了。我站起来走了两步，脚突然被扎了一下，痛死了！我弯下腰，从沙子里捡起来一只海螺，马的，好丑的海螺。黑乎乎的外壳，说不上什么形状，歪歪曲曲的，让人看着难受。我用尽全力把它扔出去，去死吧臭海螺，上帝保佑你被鲨鱼吃掉。突然想起来鲨鱼好像是不吃海螺的，管他的，随便让什么怪物吃掉好了。

想到吃，肚子就叫了起来，提示我应该找点东西填进去了。马的，去哪找吃的？我跑到椰子树下，换了几个角度观察，上面一个椰果也没有，难道季节不对？没道理啊，椰树就应该长椰子嘛，这棵树为什么不长？太没道理了。我绕着小岛转了几圈，满心的忧伤。

脚下突然开始震动，我以为是自己的错觉，干脆坐下来。震动越来越厉害了，真的不是错觉，发生了什么事？整个岛都开始摇动，天哪，它在下沉！怎……怎么会？岛怎么可能会沉？什么世界啊？我焦急不安地在岛上跑来跑去，满脸都是眼泪，没多久脚就浸到水里了。我干脆不跑了，跑有什么用？我能跑到哪里去？心里一下子被绝望填满，海水已经齐腰了，视线慢慢模糊，结束吧，一切都结束吧。

远处有一艘小船慢慢驶过来，好慢好慢。海水已经到胸口了，全身一阵冰冷，船儿啊，你快点过来好吗？张大嘴，却发不出声音。一个小小的波浪打在脸上，眼睛被浸得发痛，神经麻木了，渐渐也不觉得痛。船终于靠近了，一个人站在船头焦急地呼喊，是谁呢？身影好熟悉，我用力眨一下眼睛，是黄子捷吗？是他吗？

醒来的时候已经是阳光普照，怎么搞的？做那么奇怪的梦，不只是奇怪，简直有点可怕。枕头被濡湿了一块，不知道是眼泪还是汗水。我从床上坐起来，闹钟没响，还不到 7 点 30 分吧，居然这么早就醒了，我是不是有点不正常？摸摸额头，温度好像很正常。我还不够放心，找出体温计含在嘴里，看看刻度，37.2 度，再正常不过了。

走到客厅，自己泡了一杯奶茶，心神不宁地坐在沙发上发呆。莫名其妙的有点烦躁，喝了几口奶茶，稍微平复了一些。喝完奶茶，梳洗完毕，还是不够 7 点 30 分。也好，今天就早点去公司吧，昨天没加班，今天就把昨天的工作补上。

骑车到公司楼下，看看手表才 7 点 50 分。走进办公室，果然空荡荡的，加班归加班，早上能多睡一会儿还是尽量多睡，一分

朝南美洲飞去

钟也不能浪费，这是大家公认的上班准则。工作间里弥漫着一股香烟味，我绕过堆积如山的设计稿，看到小宝正趴在工作台上睡觉。

"喂——"我轻轻拍一下他的肩膀，他抬起头，睡眼惺忪地看着我，"小华啊，早啊。"

"早什么嘛？你是不是又在公司过夜啊？"我盯着他说。

"是啊，懒得回家嘛。"他站起来，"我去洗一下脸。"

我坐在工作台旁边，呆呆地不知道做什么好。小宝这个家伙真是的，这么拼命干吗啊？弄得我超不好意思的。不行不行，今晚一定要留下来加班，我暗暗下定决心。可是，我不是已经答应了吴宇凡一起吃饭吗？这么久没见，总不能放人家鸽子吧？哎呀烦死了，先不管了，把手头的东西做完再说。

小宝梳洗完回来，伸了一个懒腰，"吃早餐没有？没有的话我帮你带一点，我现在下楼去买。"

"不用啦，我已经吃过了。"我摇摇头说。虽然我的确没吃早餐，不过实在不好意思再麻烦他了。

同事陆陆续续光临办公室，这一天跟平常没什么两样。没完没了的忙碌，中午吃饭的时候是短暂的解放，然后期待下班时间的到来。就是这样吧，所谓朝九晚五的生活，说不上美好，但的确会有美好的时刻。偶尔发发牢骚也很正常，反正现实总是有残缺的。不管怎么样，我还是很习惯这样的生活，有规律，有一条固定的轨迹，我沿着它来来去去，春去春来，春来春去，平淡也是一种幸福吧。我适应不了变动太大的生活，如果一下子给我太多选择，我反而会无所适从，找不准方向，比如每次休假的时候都会伤脑筋，不知道该怎么度过才对得起自己。

对爱情或者别的什么也是这样，生活的态度大概是根深蒂固吧。大起大落不是我向往的经历，可能天性没有冒险的基因。其实，大多数人是害怕冒险的，我也是其中之一，有什么好奇怪的呢？如果人人都爱冒险，世上就没有冒险家了，是吧？只不过在一种状态里维持得太久，总觉得换一下环境会好一点，事实真的是这样吗？对不起，我也不知道，因为没试过别的生活方式。

忙碌了几个钟头，原先高得吓人的稿件堆稍微顺眼了一点，看起来没那么可怕了。小宝居然还是精神抖擞，他不是熬了一个通宵吗？真是超人，不佩服都不行，也可能是因为他年轻吧。什么嘛？难道我自己很老了吗？大概是身上欠缺了一些活泼的因素，从小就爱闷在房间里画画，人家老是说我早熟，久而久之，自己也开始暗示自己，好像真的很成熟了一样。呵呵，天知道？顺其自然吧，该熟的时候自然会熟。

ＡＤ又召集我们开会，今天老总也有列席，不知道有什么天大的事情要讨论。我坐在会议室，悄悄画了一张老总的速写，长

而乱的头发，宽宽的前额，满是胡子的下巴，一副沧桑过度的样子，不过笑起来的时候还是显得蛮年轻，所以我又画了一张，一张笑，一张不笑。会议室乱哄哄的，像是开创意会议，仔细听了一会儿，原来是老总发起的动员会议。公司这个季度的营收比去年增长了差不多3倍，老总这样跟我们描述。哇！这么厉害！我想，那我的薪水是不是也要增长3倍？算了吧，少痴心妄想。不过也是奇怪，业绩这么好，怎么老总笑的时候比以前还少了？不知道他怎么想的。

从老总开始，大家相互勉励了一阵子，会议就结束了。走出会议室的时候，老总叫住我，"小华，最近手头的工作忙得怎么样？"

我愣了一下，傻傻地点点头："还好啦，呵呵。"

"要注意身体噢，不要太拼命，身体还是比工作重要的，知道吗？"难得看到他露出微笑，真是奇迹耶！老总居然对着我笑了，同事一般都叫他"铁面人"的。

"我知道。"赶紧更用力地点头。

走回工作间的路上，我忍不住捂嘴偷笑。当然啦，心里还是有一点感动的。要是老总肯把我的薪水加3倍，那我简直就要感动死了。

到了下班时间，我又安抚小宝，"小宝，又要辛苦你了哦，我今天有事情。"超不好意思的。

"没事啦，我是男子汉嘛，当然应该辛苦一点。"小宝说。

"呵呵，那就好，难得你这么懂事，明天姐姐请你吃饭好不好？"我笑着说。

"这样啊？"他做出一副沉思的表情，"我考虑一下啊，好吧，就答应你吧。"

"装什么装嘛。"我瞪了他一眼，"那就这么说定罗，我走啦。"

赶到吴宇凡家才7点钟，佳涵给我开的门，居然还给了我一个拥抱，"好想你噢小华！"突如其来的热情虽然让人意外，但毕竟还是有点感动啦。

他们的客厅两边摆着高高的玻璃壁橱，玻璃后面全是一排一排的娃娃，第一眼看到我就惊讶得不得了。

"哈，原来你还是个娃娃收藏家！"我笑着对佳涵说，站在壁橱前面仔细打量。

"不单是收藏，我们还自己做呢。"吴宇凡系着围裙从厨房里走出来，还是那个熟悉的笑容，眼睛眯成一条缝，像只懒猫。

"真的啊？"我更惊讶了，同时又想起一件严重的事情，"喂，不会是你做饭吧？"

吴宇凡搓着手傻笑，"别紧张嘛，我洗菜而已，佳涵才是大厨。"

我拍拍胸口，"那就好，差点吓死我。这些娃娃都是你们做的吗？好厉害噢！"

"不是啦，"佳涵拉着我的手，指着左边的壁橱，"中间这两排才是我们做的，你看，那个冬瓜娃娃，是我一个人做的噢。"

那个冬瓜造型的娃娃样子超搞笑的，冬瓜叶子垂下来，像是长发遮住了耳朵，眼睛小小的，鼓着腮帮子，一副欠揍的样子。我忍不住大笑起来，指着吴宇凡说："这个娃娃一定是用你当Model的，简直跟你一模一样！"

"什么嘛？哪有这么帅的冬瓜？"吴宇凡鼓着嘴，看起来跟娃娃更像了。佳涵笑着把他推进厨房。

"你们什么时候开始做的？我怎么一点都不知道？"我开始一个一个观察壁橱里的娃娃。

"才几个月而已啦。"佳涵说。

"这些娃娃怎么做出来的？看起来好复杂噢。"我的好奇心高涨得不得了。

"也不是太复杂啦，像那个冬瓜娃娃，就是用黏土做出模型，再拿到窑洞里烧，再上釉上色就可以了，一般的布娃娃就更简单了，裁几块绒布，填上海绵之类的再缝起来，加上另外做的衣服就OK啦。"佳涵耐心地跟我解释。

"天哪，这还不复杂？你怎么会懂这些东西的？"我问佳涵。

"我爷爷就是做这个的啊，这个我从小就会。"她笑着说。

一直觉得佳涵就是那种单纯质朴的女孩子，简直不敢相信那些让人头晕的工序由她来完成。真的是人不可貌相哦。

"那吴宇凡做什么？"我接着问。

吴宇凡从厨房走出来，"我做设计嘛，这还用问？"拍一下佳涵的肩膀，"喂，菜洗完了，轮到你上场啦。"把围裙解下来系在佳涵身上，佳涵笑眯眯地跑进厨房。忍不住有点羡慕他们恩恩爱爱的样子。

吴宇凡在沙发上坐下，"我们打算做一个系列的娃娃，然后拿去百货公司卖，礼品店也行。"

"真的啊？那太好了，我一定拉着全公司的同事去买。"我笑着说。

"呵呵，好啊，还有哦，帮我们想一个最吸引的主题。"

"这个我可不擅长，我又没做过娃娃。"我犹豫着说。

"不要紧啊，你可是广告人噢，什么产品都能搞定的对不对？"吴宇凡用期待的眼神看着我，"啊，对了，你要喝什么？我帮你拿，佳涵也真是，你来这么久也不拿饮料出来。"

这一对宝贝的大大咧咧我早就领教了，所以一点也不觉得奇怪，"随便罗，就果汁吧。"我想他们家也不可能有奶茶。

吴宇凡蹲在冰箱前面观察了半天，冲着厨房喊："佳涵啊，今

天不是刚买了果汁吗？放哪里啦？"

佳涵把头伸出来，"果汁啊？我想想……啊，忘了买啦，我在超市急着赶回来嘛。"

我在旁边忍不住笑出声来，"好了啦，给我倒杯白开水就行了。"

吴宇凡倒了一杯开水给我，傻笑了两声，"不好意思噢，真是，"用手指指厨房的方向，"这家伙老是忘东忘西的。"

"算了吧，"我不以为然地说，"你也好不了多少啦。"

闲聊了一阵，佳涵从厨房冲出来，"好了，开饭啦，宇凡你还愣着干吗？快去搬椅子啊。"

"辛苦你了，佳涵。"我笑着说。

"小意思啦，做饭比做娃娃简单多了。"佳涵说着，把围裙解下来。

坦白地说，佳涵的厨艺实在不敢恭维，不过看着她期待的眼神，我只好拼命地说："好好吃噢！佳涵你真厉害！"

吴宇凡眯着眼睛，笑容可掬地说："是啊，佳涵做的菜最最好吃了，所以我们很少出去吃饭的。"看他的表情不像是说谎。也难怪，有情饮水饱嘛。

佳涵夹了一大筷子菜给我，"好吃就多吃点哦，小华。"我只好点头。

这顿饭吃得还是蛮开心的。我一直觉得，吃饭最重要的就是气氛，一桌人开开心心地坐在一起，当然吃什么都可口，不过，要是那盘牛肉少放点盐就更好了……

吃完饭，佳涵去厨房洗盘子，我和吴宇凡不约而同开始喝水。吴宇凡喝第二杯的时候，我忍不住问他："喂，你喝这么多水干吗？"

"多喝水有益身体健康啊，真的。"他点点头以示强调。

我笑着说："这样啊，我还以为是菜太咸呢。"

"哪有？"他扭头看看厨房，小声说："不过是盐稍微放多了一点点。"

我差点被水呛到喉咙，赶紧把水杯放下，"对了，这两天我帮你们想一想那个主题，不过想出来也不一定好噢。"

"怎么会呢？我相信你。"吴宇凡点点头说。

佳涵也走出来说："对啊，不相信你怎么会找你呢？"

"好了啦，你们就不要再给我压力了嘛，我会努力的啦。"我没好气地说，真拿他们没办法。

回到家差不多10点了，我冲了一杯奶茶，把电脑打开，对着屏幕发呆。写点什么好呢？想一想头脑里装的无数个广告专案，不知道该选个什么主题。什么样的诉求最能打动女孩子？不管了，先收一下电邮再说。马的，怎么一封新邮件都没有？不对，有倒是有，全是垃圾邮件，还不如没有呢，搞不好还带病毒的。

站起来走了两圈，心里有些烦躁。奶茶喝光了，灵感怎么还不来？说真的，虽然号称广告人，我其实从来没做过什么策划，都是执行别人划定的主题，自己却从来没试过孤军作战，也好，就当是挑战自己吧。

深呼吸两次，重新坐到电脑前，当然，我又冲了一杯奶茶。主题，主题，我一定能想一个最厉害的主题出来。心情慢慢放松，仔细分析一下。什么样的主题适合年轻女孩子呢？天哪，我怎么会知道？不对啊，我自己不就是女孩子吗？而且还算年轻啦，马的，差点忘了。什么最能打动我这样的人？搜肠刮肚想了一堆，但是始终觉得不大好，为什么呢？可能那些东西太空泛了吧。那就想一想实际一点的好了，我身边的人，我身边的事情，哪些最能打动我呢？黄子捷、绍平、阿问、若兰，对了，若兰长得就像芭比娃娃。若兰不是我想像中的天使吗？就让她做 Model 不是很好吗？而且，与其虚构一个不着边际的完美偶像，还不如描述身边活生生的对象，这样才最能打动人，这句话好像上课有讲过，到底谁讲的就不记得啦。

我把身体坐直，开始敲击键盘，打出几个字——为爱去飞吧。

"他在里约热内卢，她在台湾。延续5年的爱被空间隔断，她以为一切从此结束。

"他在阳光下流浪，背包装着思念。她凝望天空，看到爱远去的方向。

"台湾——里约热内卢。今天，为爱去飞吧！"

好了，这就是我的主题跟文案了，看上去也不算很差劲，这样吧，明天先跟吴宇凡他们讨论一下好了。我长长地舒一口气，心情轻松，但是莫名其妙的，又泛起一阵伤感。忍不住把阿问的电邮又看了一遍。嗨，阿问，你的天使找到你了吗？突然想去打个电话，不过勉强压抑了这个冲动。我应该老老实实做一个旁观者，顺其自然，该幸福的，最终会得到幸福。

早点睡觉吧，明天还要上班呢。关掉电脑，洗浴一番，已经快12点了。在电脑面前耗费太多时间了。先躺到床上再说。

新的一天来到了，做什么呢？当然是上班罗。生活总是这样的循环，这么说也不对，应该说每天都是新的一天，比如说今天的稿件堆就比昨天矮了好多。小宝昨天没熬夜，看起来活泼得要死。刚说完早安，就对我丢了一个暧昧的眼神，"别忘了昨天答应我的事噢！"

"什么事？"我简直是一头雾水。

"不要装了好不好！"小宝不满地看着我，"你不是说今天请我吃饭吗？"

"哪有？我怎么可能答应你这种事？"我瞪了他一眼。

"天哪！这世上还有公理二字吗？你昨天亲口说的哎……"小

宝的表情变得痛苦莫名。

"什么嘛，不可能……"我刚打算反驳他，不过，"等一下，我好像有点印象，我真的说过吗？"

"我干吗要骗你？真是，你不愿请就算了嘛。"小宝扭过头去。

"噢，对对对，我想起来了耶，"我拍拍小宝的肩膀，"好了啦，别生气了啦，我一时大意忘记了嘛，昨天睡得太晚了。"

小宝转过头对我做了个鬼脸，"我才不会生气，喂，你干吗睡那么晚？出去狂欢啊？"

"才不是，我朋友要我帮他做策划，我从来没做过，又不能推辞他，只好闷在家里拼命想。"说完我叹了口气。

"这样啊，也许我可以帮你啊，说来听听嘛，什么策划？"

"不用了啦，你手头那么多东西没做，哪里有时间弄这些？"不能再麻烦小宝了，我想。

"没事，举手之劳嘛，告诉你，我做策划拿过奖的噢。"他对我眨眨眼睛。

"是不是真的啊？"我忍不住有点怀疑。

"绝对真实，要不要我拿证书给你看？说来听听嘛，我帮你提提意见也好啊。"

"嗯，这样子的，我朋友是做娃娃的，就是女孩子喜欢的那种娃娃，他想做一个新的系列，然后要我帮他想一个主题，所以我就想了一个晚上啊。"

"你不会什么也没想出来吧？"小宝用怀疑的眼神看着我。

"怎么可能！"我瞪着他说，"我想了一个主题，叫为爱去飞吧，这个主题可是有故事的噢，而且是真实的故事。"

"什么故事？"小宝好奇地问。

"不告诉你，不过我可以透露一点点，是关于一个大美女的故事，而且我还知道美女的电话号码。"

"真的？告诉我嘛，什么故事啊？"小宝一副急不可待的样子。

"呵呵，不能说，先做事啦，现在是上班时间，中午再告诉你。"我笑着说。

"不是吧？你这样还叫我怎么做事啊？"小宝不满地说。

"好了啦，我会告诉你的啦，乖，先去工作噢。"我拍拍他的肩膀，乐不可支。

中午休息时间刚到，小宝就冲下楼买盒饭，超积极的。懒得理他，我继续忙我的。20分钟之后，小宝气喘吁吁地把盒饭和奶茶放在我面前。"你好神奇噢，小宝，"我笑着说，"你练过长跑是吧？"

"别那么多废话好不好，我可是为了你的美女故事才这么拼命的。"小宝说。

算了吧，看他那么有诚意。我打开热奶茶的拉环，说："其实

朝南美洲飞去

呢，这个故事你听过的，就是若兰跟阿问的故事啊，要不要我再讲一遍给你听？呵呵。"

"你怎么不早说嘛？"小宝顿时泄气，趴在桌子上，"算了啦，就算我想再听，你愿意再讲吗？"

"不愿意，我现在最想做的事就是吃饭。"我说。

"那好吧，一起开吃，一二三吃饭！"小宝拿起盒饭，恢复了活泼的表情。

吃完饭我把写好的文案给小宝看，他沉思了一阵子，说："挺好啊，不过还可以更好。"

我睁大眼睛，"怎样能弄得更好？"

"主题还可以再响亮一点，还有啊，你不是要强调真实感吗？文案部分还可以更写实一些。"小宝皱着眉头，很认真地说。

看他的样子，好像真的很有两下子噢。我小心地问："那应该怎么改？"

"让我想想好吧。"他说。

"好啊，随便想，慢慢想。"

上班的时间总是容易度过，只要有足够的事情可做。很快就到了下班的时刻，我停下手头的工作，走到小宝身边，"今天又加班吗？"

"是啊，这么多事情没做完。"他点点头。

"我也同意，不过我有一个提议。"我说。

"什么提议？"他抬起头。

"我的提议就是——先去吃饭！"我说。

"呵呵，好啊，去哪里吃嘛？"小宝笑着说。

"我也不知道，"我摇摇头，"你有什么好提议吗？"

"没有，不过我们可以出去慢慢找啊，反正不着急嘛。"小宝
看着我，眼神满是笑意。

两个人走到楼下，四处张望了一回，我说："不如吃寿司吧？"

"也好啊，反正你是主人。"小宝说。回转寿司店是个聊天
的好地方，随随便便坐着，爱聊什么聊什么，爱吃什么就自己拿，
感觉没什么拘束。小宝胃口好得要命，看来他是准备一顿把我吃
穷算了，毕竟寿司店也不便宜啊……呵呵，说笑呢，我吃的也不
比他少，好久没吃过最爱的日本料理了，一个人跑来吃好像有点
突兀，有人陪再好不过了。

吃完一个三文鱼刺身，抬起头就发现小宝古怪的眼神，我瞪
着他说："干吗这样看着我？"

"噢，没有，我只是有点奇怪而已。"他说。

"奇怪什么啊？"我问。

"就是奇怪啊，照你的食量推算，你的体重应该是现在的两倍
才对，可你还是这么瘦……"

"找死啊你！再说我今天就不买单了，哼！"我气愤地说。

"呵呵，开玩笑嘛，这么认真干吗？"他一脸坏笑，让人越看越生气。我干脆不理他了，化怒气为食欲，埋头对付一碟碟寿司。

"对了，你那个娃娃主题，我有一些新的idea，你要不要听？"小宝说。

"说吧，我在听。"我把一个鳗鱼寿司塞进嘴里，含糊不清地说。

"我觉得噢，那个主题应该就是这个系列娃娃的名字，所以实际上我们要做的，就是命名然后解释名字的由来，你说对不对？"小宝面带笑容看着我说。

"对啊，"我抬起头，"那我原先想的那个主题就没用了噢，为爱去飞吧是不能做名字的。"

"也不是完全没用，那个框架可以不用改它，只是改一个名字而已，那个故事本来就很好啊。"小宝说。

"是吗？那——改成什么名字好呢？比翼天使好不好？"我睁大眼睛看着他。

"很好啊，不过我觉得还可以再特别一点。"他点点头说。

"怎样特别？"我问。

"就是要一个独一无二的名字，看到这个名字人家不会想到别的，只会想到这个系列娃娃。"他认真地说。

"这样啊？我觉得好困难噢。"我撇着嘴说，又吃了一口寿司。

"不难的，只要把你原先的意念略加改动就可以了嘛，天使这样的称呼太普通了，可以换成别的称谓啊。"小宝说。

"我想想。"我皱着眉头，开始思考他说的独一无二的名字。不管怎样，他说的好像都蛮有道理的。可是怎样的名字才独一无二呢？独一无二的意思就是，这个名字还没有被使用过。那就是说，我要创造一个新的词汇出来，这……这太困难了吧？

"那，我有一个想法，"他说完顿了一下，"就是把天使换成恋偶。"

什么莲藕啊？好古怪的词语。

他看到我疑惑的表情，就解释说："恋是恋爱的恋，偶是玩偶的偶，也是配偶的偶。"

这样子啊？听起来好像很不错哦，恋偶？恋爱的玩偶，或者恋爱中的配偶，这个词语包含了多重的含义，而且——绝对的独一无二，反正我是从来没见过这样的词语。

"那是不是就叫比翼恋偶？"我问。

"不大好，因为恋偶这个词本身就很特别，很难一下子理解，加上前面那个比翼，就更难理解了，不如把比翼换成更简单的词语。"小宝说。

"那就飞翔吧，飞翔恋偶，这个名字好吧？"我急切地说。

"Bingo，就用这个名字吧。"小宝点点头说。

　　我兴奋得不得了，终于想出了一个厉害的名字，哈。我拍拍小宝的肩膀，"挺厉害的嘛，不佩服你都不行。"

　　小宝笑着说："别开心得太早噢，这才刚刚开始呢，一个完整的策划可不是光想个名字就行的。"

　　我点点头说："我知道，还有文案嘛。"

　　小宝摇摇头说："不止是文案，首先，这是一个系列娃娃，可能每一个娃娃我们都要分别取名字，写文案，这还只是一小部分，除了好听的主题和好看的文案，我们还要分析目标市场的需求，你说的是针对年轻女孩子，那么我们就要调查她们的购买习惯，然后才能决定把娃娃做成什么样子，用什么颜色，用什么包装，最重要的是，用多少成本去做一个娃娃，这样价格才能被别人接受，还有……"

　　"停！停！停！"我举起手，"有没有这么夸张啊？听得我头都大了。"

　　"不是啊，这些都是很基本的东西嘛，策划的主要目标就是制定行销策略，本来就不是一件简单的事情，谁叫你随便答应人家？既然答应了人家当然就要做好，对不对？"

　　这家伙今天怎么怪怪的？看着他侃侃而谈的样子，我心里有一种特别的感触，说不上是什么。一直把小宝当作一个油嘴滑舌的小学弟，可是现在……

"好了啦,别跟我说教了好不好?到底应该怎么做,你直接告诉我好了。"我沮丧地说。

"唉,怎么说呢?你应该叫上那个做娃娃的朋友,坐在一起讨论,而且讨论一两次还不一定有结果噢,你也知道公司做一个案子要开多少次会吧?"

"天哪,"我抱着头,"你不要说了好不好?"

小宝耸耸肩,埋着头吃东西。我思考了一阵子,说:"干脆我们一起讨论好了,明天叫上他们一起吃饭。"

"呵呵,好啊,那你岂不是又要请我一次?"小宝笑着说。

"想得美,明天要他们请,哼。"我说。

"无所谓啦,反正有人请我就行。"

吃完饭回到公司,继续忙那些不着边际的案子。大概10点多的时候,小宝坚持要我先走,我想想也是,太晚回去公寓电梯可能会关,到时候要爬楼梯就惨了。

回到家差不多11点了,我打了个电话给吴宇凡,"喂——我帮你们找了一个策划专家,明天一起吃饭吧。"

"好啊,不如就来我们家吃吧,"吴宇凡说,"那位专家也可以参观一下我们的作品啊。"

"噢,好吧。"刚刚答应了他,又觉得有点不对劲。带着小宝去他们家吃饭不大好吧?搞不好会误会,不过也不要紧,不是说

了是策划专家吗？

冲一杯奶茶，打开电脑。先收了一下电邮，一封新的也没有，真让人沮丧。马的，怎么垃圾邮件也没有？可能是那些垃圾制造者发现我这个人顽固不化，所以放弃了努力吧。不过想想也是，我不给人家发电邮，人家又为什么发电邮给我呢？想到这里，我找到阿问那一封，点了回复的按钮，然后又开始发呆。

写什么好呢？是不是应该告诉他若兰去找他了？不大好，说不定若兰已经找到他了，如果没有，告诉他这件事又有什么用？端起奶茶喝了两口。不管怎样，随便写点什么吧。

"阿问，

不知道你现在过得怎样，他乡的日子还习惯吧？时间过得很快，我们快有两年没见面了。我时常想起那个冬夜，乡公所的长椅上，你傻傻等待的样子。不知道南美洲有没有热奶茶出售，这个问题困扰了我好久，呵呵。

能不能告诉我你现在的心情？我猜你是为了逃避什么，而且动作那么夸张，一下子逃那么远。刚开始我都不相信你会做出这种事情。后来我才慢慢明白，人生总有些事情无可奈何，也许是因为大家都在慢慢长大吧。

最后告诉你一个秘密，我专门施展了一次最顶级的热奶茶魔法，这可是很厉害的魔法噢，所以呢，你很快就会找到幸福的，或者你的幸福会找到你。闭上眼睛感觉一下，台湾方向的气流是不是特别温暖？这就是魔法的作用，相信我吧，幸福就快来了。

　　记得告诉我你最新的电话号码。"

　　点下发送按钮，电邮就拍着翅膀飞走了。我长长舒了一口气，有一种特别的快意。奶茶喝完了，干点什么好呢？写文案？算了，还是等讨论过再写吧。哎呀，天哪，１２点了，还是先睡觉吧。

　　这一晚睡得特别平安，几乎没有做梦。或者做了梦我也不记得了。早上醒来，精神饱满的我打了一个响亮的哈欠。洗脸，刷牙，换衣服，下楼，骑车，进办公室，等等，先别去办公室，时间好早，先吃个早餐好了，说真的，我好久没吃过早餐了……

　　在永和豆浆吃了一碗面，然后心满意足地走进办公室，新的一天就这么开始了。每天都差不多，不过每天都有一点小小的不同，比如今天我就吃了早餐。生活就是这个样子吧。工作间里的稿件堆打断了我的思路，不想那么多了，还是先面对残酷的现实吧。小宝照例到的比我早，笑嘻嘻地跟我打了个招呼。这么开心干吗？我心里想，可能是早上捡到钱了吧，而且捡的还不少。

　　"啊，对了，昨天我朋友说，要我们去他家吃饭，顺便看看他们的产品。"我对小宝说。

　　"噢，好啊。"他倒是没什么特别的反应。

　　接下来就是无休无止的工作，平平淡淡的一天，很快就过去

了。到了下班时间，打了个电话给吴宇凡。然后就是前所未有的，我跟小宝一起准时下班，骑车赴宴。

吴宇凡这个家伙居然站在门口迎接我们，看上去超有诚意的样子，倒是我吓了一跳。

"哇，这么隆重干吗？又不是什么国家元首。"我瞪着吴宇凡说。

"哪里话嘛？这也叫隆重，"吴宇凡搓着手说，把我们领进客厅，"随便坐啊，小华，介绍一下嘛。"

佳涵倒了两杯果汁给我们。我指了指小宝说："这位是林治勋，外号小宝，策划界鬼才噢，这位是吴宇凡，这位是佳涵，两位都是我的同学兼死党，现在是娃娃作坊的老板。"

小宝满面笑容地跟吴宇凡握手，吴宇凡一脸庄重，我看了就想笑。佳涵拉着我到厨房帮忙，我也乐得轻松，反正最艰巨的任务已经交给小宝了。

厨房里佳涵忙得不亦乐乎，我站在旁边却不知道从何下手。反正就是执行指令吧，佳涵说一声"刀"，我就把刀递给她，说一声"盘子"，我就把盘子递给她，也不算太复杂。

"你们怎么认识的？"佳涵说。

"啊？"我愣了一下，"噢，你说小宝，我们是同事啊，一个小组的。"

"很不错的男孩子噢。"佳涵用暧昧的眼神看着我说。

"什么意思嘛？你不要乱说话好不好？"我不满地说。

"是很不错嘛，喜欢他的女孩子一定很多。"佳涵肯定地说。

"是吗？我怎么不觉得？"忍不住有点不服气。

"可能是你离他太近啊，所以才不觉得吧。"佳涵回过头去，继续切菜。

客厅里传来一阵大笑声，聊什么这么开心啊？我忍不住想走出去看个究竟，佳涵却一把拉住我。"你干吗啊？"我不解地问。

"让他们聊吧，男人有男人的话题，你跑去干吗？"佳涵笑着说，"我拉你到厨房就是这个原因啊，你以为我真的指望你帮忙啊？"

我呆呆地看着佳涵。小妮子怎么一下子变得这么成熟了？记得以前她可是最大大咧咧的一个噢，没心没肺的。生活也太奇妙了吧？一下子就改变了一个人。而我却成了最幼稚的一个，怎么会这样呢？生活的轨迹不一样吧，我想。两个人的生活，比一个人的生活，更容易让人成长。不过呢，我想还是一个人过好一点，至于原因我自己也说不出来。

佳涵的菜终于做完了，我一直在旁边监视着，不让她多放盐。菜端上去，吴宇凡出人意料地拿了几罐啤酒出来。

"喂，给我一罐嘛，"我瞪着他说，"小气鬼，上次来啤酒都不给我喝。"

吴宇凡一脸苦笑地说："那也不能怪我啊，上次你来别说啤

酒，连果汁也没有呢。"

佳涵没好气地说："喂，不怪你，那你说应该怪谁？"

"怪我，当然是怪我，呵呵。"吴宇凡笑说。我跟小宝也忍不住笑起来。

"你们刚才讨论的怎样了嘛？"我问吴宇凡。

"噢，很好啊，你这位朋友可真是名不虚传噢。"他摊开手，指尖向着小宝。小宝赶紧摇手说："别这么夸我嘛，我会不好意思的。"

"你也会不好意思？那才真是见鬼了。"我笑着说。

言笑宴宴，一顿饭的时光很快就过去了。反正大局已定，娃娃策划人的重任落在了小宝肩上，我当然最开心，又能给朋友帮忙，又不用我操心，这么好的事情上哪里找？

Waiting for a cup of Hot Milk Tea

两枚超大炸弹

一个星期很快就过去了。时间总是过得很快，忙碌几天，轻松几天，开心几天，伤心几天，时间就这么过去了。翻过日历的时候，忍不住有些伤感，不过伤感也没用，还是尽量活得开心一点吧。

星期五晚上，黄子捷打电话给我，"喂，不要忘记明天的约会噢，中午我来接你。"

"什么约会？"我一头雾水。

"喂，你不会真的忘记了吧？怡君的婚礼啊。"听起来他的语

气很无奈。

"噢，想起来了，我……一定要去吗？"我有点犹豫。

"拜托，你答应过我的，说话要算话嘛，不要赖皮好不好？"
黄子捷说。

"好了啦，我又没说不去，干吗这么罗嗦？明天几点？"我不
耐烦地说。

"11 点吧。"他说。

"那好吧，就这样罗。"

"别急着收线好不好？我还有问题要问你呢。"黄子捷说。

"我哪有急着收线？什么问题嘛？你问吧。"我没好气地说。

"那我就问罗，"黄子捷神秘兮兮地说，"我问你，这几天有没
有想我啊？"

我忍不住笑了起来，"什么嘛？鬼才会想你，哼。"

"喂，不要言不由衷好不好？我可是很想你的噢。"他也笑着
说。

"真是见鬼了你，好了好了，我想你行了吧，你真的好烦哪。"
我说。

"呵呵，我也想你，早点睡吧，明天见。"

挂了电话，笑容还挂在我脸上。这个死人头，明天一定要骂
他一顿，说话老是这么讨人厌的。算了吧，先不想他了，洗完澡

睡觉吧。

躺在床上我试着早点入睡，可是惨遭失败。闭上眼睛，眼前一会儿是黄子捷，一会儿是怡君，到后来就全是黄子捷了。见鬼，难道我真的很想他？人心真是奇怪，越是不想去想，就越是要想。算了，要想就想个够吧。想他的大眼睛，想他坏坏的笑容，想他的长头发，想着想着，睡意就徐徐降临了，看来今晚会梦见他吧。

阳光普照，又是新的一天。我从床上起来，拉开窗帘往外望了望，天空晴朗得一塌糊涂。这样的天气当然不能赖在床上，嗯，干脆不睡了，去洗脸吧。洗漱完毕差不多10点了，我坐在沙发上，想着黄子捷就快来了，心里竟莫名其妙有点紧张。打开电视，可是没什么心思看，隔几分钟就看一次墙上的挂钟，也不知道是为什么。坐了一会儿，突然想到，今天去出席婚礼耶，是不是应该穿正式一点的衣服？穿T恤和滑板裤可能不大好吧？可是，我哪有什么正式的衣服……

皇天不负苦心人，总算被我找到一套洋装，谢天谢地。当初为了找工作特意买的职业套装，我记得只穿过一次而已，现在终于能再次发挥效用了。站在镜子前面端详了半天，感觉好古怪哦。天哪，这真的是我吗？黄子捷这个混蛋看了肯定会狂笑一通，马的，要是他真的敢笑，我就对他不客气。

11点终于到了，电话铃准时响起来，我跑过去拿起听筒，

"喂——"，果然是他。

"我在楼下等你，快点下来吧。"

"知道了，乖乖站在那里等我哦，我马上下来。"

我跑到楼下，黄子捷站在跑车旁边东张西望，他今天穿了一套银灰色西装，配上蓝色斜纹领带，头发束了一个马尾，帅气得不得了，一看就像个时代精英之类的。我走到他旁边，用力拍一下他的肩膀。

"喂，看什么啊？"我瞪着他说。

"哇，鬼啊！"他夸张地大叫一声，"你真的是小华吗？"

我狠狠地给了他胸口一拳，"你才真的是见鬼呢，见鬼见鬼见鬼，你有见过这么漂亮的鬼吗？"

"没有，"他捂住胸口可怜兮兮地说，"今天是第一次见到。"

我忍不住笑了出来，黄子捷摸摸我的头发，笑着说："你今天真的很漂亮。"

"切，不要那么言不由衷好不好？"我说，"走吧。"

坐在车上，我才想起来，"对了，我们要送什么礼物给怡君？"

"我已经买了，到时候由你拿给她就行了。"他说。

"什么礼物嘛？"

"别问了嘛，反正是要送给别人的，呵呵。"

怡君举行婚礼的酒店不算太远，开车不到半个小时就到了。

在酒店门口，黄子捷拉住我的手，我愣了一下，没有挣开。走进厅堂，宾客已经站满了，一眼望去，一个也不认识。黄子捷神色很是悠闲，我却觉得有些局促，不知道为什么。

"喂，又不是你结婚，这么紧张干吗？"黄子捷笑着说。

"哪有，我哪有紧张？"我忍不住开口反驳。

"是吗？噢，不紧张就好。"他耸耸肩，一副不以为然的样子。

"婚礼几点钟开始？"我问黄子捷。

"不知道，应该快了吧。耐心一点，要不我们先出去走走？"他说。

"好吧，出去走走吧。"我说。

走到厅堂外面，我舒了一口气。我总是不习惯这样的场合，一群不认识的人聚在一个陌生的地方，彼此说两句客气话，然后又若无其事地走开，热热闹闹吃一顿饭。大家来到这里，不一定心怀祝福，可能大多是为了履行固定的礼节而已。怡君居然会选择这样的婚礼方式，我觉得有点不可思议。

黄子捷拍拍我的头，说："看你的表情，好像刚刚从婚礼上逃出来的新娘子。"

"什么嘛？"我不满地瞪了他一眼，"我不喜欢人多的地方而已。"

"是吗？那你将来结婚怎么办？该不会逃跑吧？"他笑着说。

两枚超大炸弹

"关你什么事？"我没好气地说。

"怎么会不关我事呢？"他用暧昧的眼神看着我，"我还打算参加你的婚礼呢。"

"哼，不要你参加。"我说。

"我偏要参加，难道你把我赶出去？"他的脸上似笑非笑，样子非常可恨。

在酒店门口的街道上转了一圈，黄子捷看看手表，"应该快开始了吧，我们去看新娘子出来没有。"

我点点头，其实我比他更想看看怡君打扮成新娘的样子。会是怎样呢？猜不出来，看看才知道。不过怡君那么漂亮，应该怎么打扮都好看的。

"你猜她会穿婚纱还是穿旗袍？"我问黄子捷。

黄子捷拍拍我的头说："你什么时候也这么八卦了？看了不就知道了吗。"

走进厅堂，宴席已经准备好了。黄子捷拉着我，找了一个最角落的位子，同席的几个人我一个也不认识。黄子捷倒是大方的很，一个一个跟他们打招呼，几个来回，好像已经混得很熟了一样。我表现的比较淑女，抿着嘴巴不说话，偶尔露出一两个矜持的笑容。说真的，要对着完全陌生的人挤出像样的笑容，实在是太困难了。看着黄子捷跟他们谈笑风生，心里想这家伙到底是什么做的，不得不表示一点点佩服。

宴席开始了，远远的看见怡君从厅堂那头出现，穿一身火红的旗袍，头发挽成一个发髻，真是美得冒泡。我想黄子捷选这个最角落的座位真是太正确了，我可不想跟这样的大美女太靠近。她身边的男人看上去不是太年轻，应该有35岁以上吧，不过我猜人家的年龄老是猜错的，不能作数。新郎的样子还算顺眼。下意识地看了黄子捷一眼，顿时觉得我身边这个实在太帅了。于是又生出一点莫名其妙的自信，呵呵。

怡君一路敬酒，眼光掠过我们所在的角落，顿时亮了起来。她面带微笑，正对着我们的方向走过来。不知道为什么，我的心跳开始加速，脸也有点发烫。马的，怎么搞的？难道我怕怡君？偷偷瞟了黄子捷一眼，他的神情很淡然，望着怡君走来的方向。

"你们能来我太高兴了。"怡君走到我们旁边，端着酒杯。黄子捷和我也站起来，端起酒杯。怡君对她身边的新郎说："这两位都是我大学时的好朋友，这是黄子捷，这是小华。"

新郎赶紧举起酒杯，"我叫李远哲，以前承蒙你们照顾怡君了，来，我敬两位一杯。"怡君也端起酒杯。我们一起碰杯，一起把酒喝下去，只是我不知道那酒究竟是什么味道。

"小华，你今天好漂亮噢。"怡君笑着对我说。

"没有啦，你才是真的漂亮。"我脸红得要命，很不好意思

地说。

怡君又看着黄子捷，"你打算什么时候娶小华啊？再晚的话，美女可就要飞走了噢。"

黄子捷大声笑起来，用手臂碰了碰我，"喂，人家问你呢，打算什么时候嫁给我？"

我的脸一定红得离谱了，恨恨地用手臂撞了他一下，"谁要嫁给你了？"

李远哲和怡君一起笑起来，很开心的样子。黄子捷说："那，祝两位白头偕老，永不分离。"李远哲赶紧说谢谢，怡君说："也祝你幸福。"

"你们去招呼别人吧，我们自己招呼自己就好了。"黄子捷说。

"那好吧，多喝一点，一定要尽兴噢。"李远哲跟怡君转身走开，怡君回头看了我们一眼，若无其事地继续敬酒。

我拍了拍黄子捷，"礼物呢？怎么没送给她？"

"小笨蛋，现在怎么送？人家有专门收礼物的人，等一下拿过去就可以了，不然一人送一件礼物，新娘子怎么抱得下？"

我说："我怎么知道？我又没结过婚，看你倒是蛮有经验的样子……"

"是啊，我7岁的时候就跟隔壁的小妹妹结过婚，当然比你有经验啦。"黄子捷说。

一股怒火从心头冒起，我忍不住狠狠地掐了他一下。他差点把嘴里的酒吐出来，还好眼疾手快，及时捂住了嘴巴，活该！谁叫他的嘴巴这么讨厌。

宴席结束了，送完礼物，我们走出酒店，已经是华灯初上的时分。站在门口就能看到月亮远远地挂在天上。黄子捷把车开出来，我拉开门坐上去。车开始前进，街边的繁华景象，我没什么心思看。打开车窗，晚风吹到脸上，人也清醒了许多。刚刚的两分酒意很快就消散了，想什么呢？怡君的婚礼就这么结束了，她嫁人了，我应该为她感到高兴，是吗？心里翻腾着的情绪，却没有高兴的成分。想起她在满座宾客中间，回头望向我们，那一瞬间，她眼里充盈着什么心思？想起她对黄子捷说祝你幸福，却没说祝你们幸福，毕竟，她还是一个好强的女孩子。她还想着他吧？应该是这样。

"怎么了？不说话，生气了啊？"黄子捷说，眼睛还是盯着前方。

"没有啦，有什么好生气的？"我淡淡地说。

"又在胡思乱想了对吧？"他说。

"你好烦哪，人家想什么也要你管？"我说。

"呵呵，关心一下而已，继续想吧，不打搅你了。"他笑了两声，不再说话，笑意还是留在嘴边。

车到了公寓门口，我们一起下车。"这么好的月光，去走走吧。"他看着我。

"嗯。"我点点头。

公园里人不多，可能是因为月光太明亮吧，呵呵。黄子捷轻轻揽着我的肩膀，我没有推开他，低着头继续往前走。路上的每一块小石头都沾满了月光，树影随风摇曳，风大的时候就显得凌乱，风静了，树影也停下来，像是欲言又止。我们心中有一份默契，两人都不说话。只是一起走着细长的小路，我希望这路没有尽头。

黄子捷停了下来，我的心没来由地颤动了一下。他抱住我，这在我的意料之中。他的嘴唇贴近我，心跳得好快，我们都是。嘴唇合在一起的时候，世界就不复存在了，天地间只有我们。月光，树影，花丛，都是虚妄的，除了此刻紧紧抱着我的人，其他一切都是虚妄的。

不知道过了多久，我睁开眼，看到他的眼睛，和眼睛里的我。他露出笑容，手在我脸上摩挲。

"我想求你一件事。"他看着我。

"什么事？"我说。

他似笑非笑看着我，抬起右手，是什么在闪光？难道……难道是钻戒？

"嫁给我好吗？我保证会给你幸福，而且我可以大胆地说，除了我，再也没人能给你一样的幸福。"他盯着我，眼神深不可测，好像一不小心我就会陷进去。

大脑一片空白，发生什么了？对了，这个场景在电视里看过。他在向我求婚，是的，黄子捷在向我求婚。我……我该怎么办？

我呆呆地看着他。他拍拍我的头，"怎么了？吓到你了？我没这么可怕吧？"

"不不，不是，"我推开他，"你让我想想，求求你让我想想。"

黄子捷点点头。

结婚？太遥远了，我好像从来没想过有一天我也会结婚。结婚都是别人的事情，比如怡君结婚，然后我就去参加婚礼，这就是我印象中的结婚。如果我是新娘……那怎么可能？我从来没想过，不，做梦也没梦见过，我会成为新娘吗？哈，我披上婚纱是什么样子？不对，结婚是一件很严肃的事情，虽然我不了解过程，可是结了婚，我肯定就不再是从前的我了。这怎么可以？也不对，人终究是要结婚的啊。可是……可是我现在就很好啊，为什么一定要改变呢？就让我维持现状不可以吗？

我摇摇头，"不行，我不能要你的戒指，"我再用力地摇摇头，"我是说，我不想结婚，真的不想。我说不上来，反正，我真的，真的好怕。"

　　黄子捷的脸色好苍白，也许是因为月光吧。好像有一样东西一分钟前还在他的身体里，现在已经不在了。他收起戒指，拍拍我的头，"好吧，不过你要答应我另外一件事。"

　　"什么事？"我望着他。

　　"什么时候你想结婚了，一定要第一个告诉我，好吧？"他脸上又有了笑容。

　　"嗯。"我点点头。

　　他不再说话，开始往回走。我低下头，跟在他后面。走到公寓楼下，我拉住他的手，"我上去了，你回去开车要小心一点，听到没有？"

　　他点点头，笑容却很勉强。我走进大堂，回头看见他正站在门口望向我。电梯到了，我走进去，电梯门合上的那一瞬间，我看到他还是一动不动，望着我。心突然好痛。一种无法描述的痛。

　　回到房间，身体一下子软了下来，我倒在沙发上。心乱如麻，大概就是指我现在的状况吧。思绪四处乱窜，我努力地控制，把它们一一收回，可是有心无力，越来越乱。是啊，我拒绝了他。我拒绝了我爱的人，怎么会这样呢？也许，我不是真的想拒绝他。只是一下子碰到那么意外的场景，下意识地选择了最安全的路线。该怎么办才好呢？

　　先让心静下来吧，上帝，让我的心静下来好不好？不要这么折磨我。我站起来，给自己泡了一杯奶茶。这样的时候，有一杯奶茶握在手里真是太好了。温暖和醇香的液体也不能让翻腾的思绪平静，至少能让心踏实一点，不再那样空空地难受。

等待的热奶茶，握在我的手里，为什么我不能给一个圆满的结局呢？像肥皂剧一样，皆大欢喜，团团圆圆；或者像童话，从此快乐地生活在一起。等待不可能永远是等待，结局始终都会来临，只是，如果要由我来决定这个结局，我宁愿逃跑。是的，我软弱，自私，承担不了太多的期望。我愿意在角落里安静地活着，不想改变任何人的命运，包括我自己的。为什么一定要我做决定呢？

可是他怎么办？黄子捷，这一刻我敢肯定地说，我爱你，我不想伤害你，你受了那么多苦，我怎么忍心，再让你受伤？我……我想我们可以一直这样走下去，可现在看来，那只是幻想。我们终究要停下来，建造房屋，不再漫无目的地跋涉。我并不想拒绝你，可是，实在太突然了。我还来不及摆出适当的姿势，你已经拉着我的手，打算走进你刚刚搭好的小屋。所以我逃跑了，逃跑，多么无奈的字眼。

我是个没用的人，我真没用。没有勇气面对太庞大的事物。我是个自私的人，爱上我的人都会受尽折磨，绍平早就遍体鳞伤了，现在黄子捷的心上也多了一个伤口，这都是因为我，一个自私的

两枚超大炸弹

小女人。

不知道为什么，突然有一阵冲动，我拿起电话，开始拨黄子捷的号码。刚刚拨了两个数字，我又把听筒放下。该跟他说什么呢？不知道。呆呆地看着墙上的挂钟，11 点 30 分，时间过得好快。黄子捷应该到家了吧，他在想些什么呢？是不是也呆呆地看钟？或者端一杯热奶茶，继续他的等待？

恍惚之中，黄子捷转过头来，轻轻一笑，"这么晚还不睡？想我吗？"

我张开嘴想回答，却发不出声音来，难道是梦吗？

"怎么了？早点睡吧，别想我了啊。"他摸摸我的头发。

我伸出手想拉住他，抓到的却只是幻影。

他竖起手指，左右摇动了两下，"我走了哦。"转身拉开房门，走廊里灯光昏黄，把他的影子拉得好长。我呆呆地站在原地，不知道该不该追上去。

"铃——"，是什么声音？好像从远处传过来。我睁开眼睛，身边的电话正在响。看看挂钟，已经凌晨一点了，谁这个时候打电话来？

"喂，我是小华。"

"小华，我是黄子扬，我哥进了医院，你快点过来。"

"什……什么？"我的舌头开始打结，"哪个医院？哪个医院你快告诉我啊！"

"你别急，在万芳医院急诊科，地址是兴隆路111号，你快点赶过来吧。"

我扔下电话，冲出房间。拼命摁电梯，马的死电梯能不能快一点？不知道过了多久，电梯终于到了。

我跑出大堂，跑到摩托车旁边，马的，没带车钥匙。算了，坐计程车吧。冲到路口，等了十多分钟，居然一部计程车也没看到，天哪，是不是再上楼去拿钥匙？可是，可是那要花多长时间？我在路口转来转去，不管了，上帝保佑，计程车一定会来的。晚风吹过来，后背一阵冰凉，我用手摸了一下，衣服湿湿的，再摸一下额头，全是汗。喘了几口气，抚抚胸口，不祥的感觉越来越烈，不行了不行了，我想大哭一场。没事的，应该没事的，我喃喃自语。

谢天谢地，计程车终于来了。我以冲刺的速度上车，"万芳医院，求求你快点，越快越好。"

车刚刚开出去十多分钟就遇上了红灯，马的，好想把这个破灯砸掉。"拜托能不能快一点，我可以多给你钱。"

"小姐你也看到了，总不能叫我闯红灯吧？"司机不耐烦地说。

马的，要是在平时，我一定要骂死他，今天就放过他吧。"我

知道我知道，你尽量快一点好不好？我真的赶时间，我朋友进了医院，你再不快一点，我可能……可能就见不到他了。"莫名其妙地，我竟哭了起来。

"别哭别哭，我会尽量的，不要哭嘛，你哭会影响我开车，这样也快不了对不对？"司机的声音变得出奇的温柔。

我点点头，用衣袖擦干眼泪，呆呆地看着前方。

终于到了，这一段路真的好长。我扔给司机500台币就冲了出去，司机在后面喊："小姐，找钱。"管不了那么多了。

我拦住大厅里碰到的第一个护士，"急诊室在哪儿？"

冲到急诊室，黄子扬坐在急诊室外面，双手抱着头。梅芬和毅东也来了，"小华，这边。"梅芬叫住六神无主的我。

"怎么了？到底怎么了？他怎么进的医院？"我大声问梅芬，眼泪不争气地涌了出来。

"别急，小华，别急，"梅芬拿出纸巾帮我擦眼泪，求助的眼神投向黄子扬。

黄子扬站起来，"我哥他……这段时间身体一直不好，医生说是心脏移植的后遗症，肝功能衰竭，我本来想……想告诉你的，可是他……他要我……"

"要你瞒着我对不对？"我盯着他。

"是，"黄子扬低下头，"他不想你为他担心，再说，平常吃点药就没事了，可是……可是……"

我大叫一声："可是怎么了？！"

"他……他不知道为什么……喝了那么多酒，医生嘱咐过肝功能衰竭是绝对不能大量喝酒的，我真的不知道为什么……"他的眼眶也湿了。

我捂住嘴巴，拧过头去，喉咙不知道被什么东西堵住了。

黄子扬说："别伤心了，小华，一定会没事的，我哥进了那么多次医院，每次都是平平安安出来，这次肯定也是一样。"

我用力点点头，梅芬看了黄子扬一眼，又看着毅东，毅东拍拍她的肩膀，"是啊，肯定没事的，黄子捷这家伙命大得很。"他挤出一个笑容，小心地看着我。

我一阵心慌，就是血液突然被抽空的感觉。怎么会这样？子捷他是因为我而喝酒的吧？我这个自私的小女人，只关心自己的小女人，这么长时间竟然没有发现他的身体越来越不好了。为什么不答应他呢？至少，他可以活得更长一点，至少他可以在有限的时间之内活得更快乐一些啊。为什么我不能给他一个圆满的结局呢？我真的是一个自私的小女人啊。好恨自己！有什么东西在我心上压着，越来越重，越来越重，是末日要到了吗？是啊，我就是这么觉得的。

我摇摇晃晃走到长椅旁边，扶着墙坐下来，不出声，呆望着

前方。梅芬突然哭了出来，"小华你别这个样子好不好？他一定没事的。"毅东搂着她的肩膀，轻声说："别哭，你一哭，小华更不好受了。"

黄子扬在我身边坐下，"别胡思乱想了，一定没事的，我们只要在这里耐心等着就好了。"

我呆坐着不动，心一路飞快地下沉。不是，不是你们说的那样。我知道，我知道会发生什么。上帝啊，你不会那么残酷对不对？让你的天使在人间多留一阵子吧，这样，我的世界也会有一丝光亮，这样，就可以拯救一个自私的灵魂。你不愿意吗，上帝？

大家都不再说话，走廊里没有其他人，死一样的静寂。心突然一阵抽搐，差点喘不过气来。我抬起头，"几点了？"

黄子扬愣了一下，看看手表，"3点47分。"他说。我垂下头。

十几分钟之后，一个穿着手术服的医生走了出来，黄子扬他们围了上去问："怎么样了，医生？"我慢慢站起来。

"对不起，我们已经尽力了……"

从来没见过如此浓重的黑暗，像墨汁一样弥漫四周。我在这无尽的黑暗中漂浮，漫无目的，本来就是，生存本就没有目的。我想死亡大概就是这样吧，我死了吗？刚开始我还企图找到光亮，后来就放弃了努力。黑暗终日与我为伴，慢慢我就习惯了。有时甚至感觉到温暖，不一样的温暖，不应该属于人间的温暖。只剩下孤零零的鬼魂了，我看不到自己的躯壳，大概早就灰飞烟灭了吧。这样也好，或者就一直这样下去，直到鬼魂也飞散，那样就完美了。不对，怎么还会心痛？心在哪里？我看不到，难道躯壳还在？不然心怎么会痛？这痛苦绝不是假的，而是深入到骨髓的痛楚。刻骨铭心，大概就是这样子的痛。脆弱的心脏上面，能刻上些什么呢？一个名字？一幅画像？还是几道不知所云的划痕？

终于有光了，开始很微弱，越来越强烈，越来越强烈，有些刺眼。还有声音，从很远的地方飘过来，"小华……小华……"谁在为我招魂？不，我不想回到人间了。我宁愿在黑暗中独自心痛，快，把光灭掉，把声音关掉，快点，不要打扰我！

我睁开眼，"小华……小华！"是梅芬，对了，是她的脸，"太好了，你终于醒了！"她的脸上满是笑容，眼睛肿肿的，样子好怪。还有毅东，还有黄子扬，他们怎么都在这里？而且眼睛都肿肿的，发生什么事情了？我努力地回忆，是的，黄子捷送我回家，然后我坐在房间，后来电话响起来了，后来，后来我坐计程车，后来我到了医院……

"黄子捷！黄子捷怎么了？他怎么了？"我大声地喊，声音却出奇的嘶哑。所有人都不出声。

我张大嘴巴，梅芬轻轻把手指放在我嘴上，"别说话，我扶你起来喝水。"她慢慢把我扶起来，一手放在我的后背，一手端着水

杯。水甜甜的，流过干渴的喉咙，我大口大口喝光了一杯水，推开梅芬的手，气喘吁吁。

"他死了，死了对不对？"我看着梅芬，她却把头转过去。

"啊……"我用尽所有的力气大叫了一声，好像灵魂也随着声音离开我的身体。梅芬惊慌失措，抓着我的胳膊用力摇晃，"你怎么了小华？不要吓我好不好？不要吓我……"我停下来，看到她的眼泪，也看到她眼里的痛苦。我的眼里有什么？除了眼泪？

"没事了，"我轻轻摇摇头，"我没事了，你看，我真的没事了。"我对着梅芬挤出一个笑容，她却哭出声来，毅东轻轻拍她的肩膀，黄子扬低下头，看不清他的表情。

"几点了？"我说。

"10点15分，"黄子扬说，"你昏迷了整整一天……"

"是吗？"我伸手摸摸自己的脸，"整整一天？"坐在床上发愣，不知道心已经飞到何处。

梅芬拿出两张纸巾，递给我一张，"休息一会儿吧。"

我摇摇头，"不，我不想待在这里，黄子捷呢？让我看看他。"

梅芬的眼泪又流下来，"别这样小华，你再也看不到他了。"

"为什么？我看看……尸体总可以吧。"突然一阵颤抖，那种可怕的感觉又攫住我，忍不住全身发抖。

梅芬紧紧抱住我说："已经火化了，别这样，求求你别这样，我真的好怕。"

黄子扬张开嘴想说什么，梅芬看了他一眼，他又低下头。

"我要走，我要走，我要离开这里，梅芬，送我回家好吗？"我慢慢平静下来。

"不行啊小华，你身体本来就差，现在又这个样子，我们怎么能放心？还是待在医院吧。"梅芬说。

我呜咽着说："求求你，求求你，我不要待在这里，我受不了，我真的受不了，求求你让我回家好不好？"

梅芬看着我，轻轻点点头。

终于到家了，梅芬扶我躺到床上。

毅东说："我去买点吃的回来，子扬，你也回家吧，家里……还有事要你处理。"

黄子扬点点头，跟毅东一起走出去。我对梅芬说："梅芬，帮我泡一杯奶茶好不好？我想喝。"

梅芬说"好的"，走到客厅。

房间里只剩我一个人了，原本熟悉的房间此刻看来却格外陌生。整个世界变了，而且再也不可能回复到从前。这些桌子，这些柜子椅子，有什么意义？阳光灿烂，春暖花开，又有什么意义？我爱的人不在了，爱还有什么意义？心已死了，活着还有什么意义？生无可恋，大概就是这样的感觉吧。

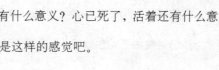

梅芬走进来，把奶茶递给我。还是熟悉的温暖。我一口接一口地喝，梅芬按住我的肩膀说："这么烫，你慢点喝。"很烫吗？应该是吧，喉咙一阵刺痛。我把奶茶放到柜子上，等了两分钟，再端起来一口喝下去。把空杯子递给梅芬，"再帮我泡一杯吧。"

梅芬愣愣地看着我，"可是……"

"求求你，再帮我泡一杯。"眼泪不知不觉又流了下来。

"好好好。"梅芬赶紧拿过杯子，走出房间。

又安静下来了，嘴里残留着奶茶的香味，心里还有一丝温暖，好像那个人还在身边。我们来分享这杯热奶茶吧！分分合合，生生死死，都与我们无关。我们一起，把奶茶喝下去吧，结束漫长的等待，让美好一直美好，温暖一直温暖，这样多好。以前是我错了，奶茶的意义不在于等待，而在分享。分享心中的温暖，不要有太多拘束，结婚就结婚吧，有什么大不了的？让温暖包围我们吧，让我握住你的手，死也不放开，好不好？

"奶茶来了。"梅芬走进来。

"你自己也泡一杯吧，我们一起喝。"我说。

"好。"梅芬脸上有一丝淡淡的笑容。

我坐在床上，梅芬坐在椅子上，"喝吧。"她用手里的杯子，碰一下我的杯子，喝了一口。我也喝一口下去。

热奶茶魔法开始生效了，心情慢慢地平静下来。我对梅芬说：

"你回去休息吧，我没事的。"

"不行，我要陪着你。"梅芬摇摇头。

"我真的没事了，再说，你坐在我身边，我也睡不着啊。"我想了一个理由出来。

"那我就睡客厅的沙发好了。"梅芬坚定地说。

我急着说："那怎么行？你回去睡吧，明天还要上班呢。"

"不要紧，我已经请假了，不睡觉也没关系的。"她说。

"那好吧，"我无奈地说，"衣柜里还有被子，小心不要着凉了。"

睡觉吧，睡着了就不会有烦恼了，我想。可是哪有那么容易睡着，我翻来覆去闭不上眼。梅芬在客厅已经睡着了。我却不敢闭上眼睛，一闭上，就出现那张熟悉的脸。怎么办？心又开始抽搐，原来刚才的平静是假的，藏在深处的痛苦才是真的。我用指甲狠狠掐了手臂一下，好痛！可是这种痛比心痛容易忍受，难怪那么多人会折磨自己的身体。不行，我不能这样。他一定不希望我这样折磨自己。

上帝，让我入睡吧，也许在梦里还能见到他，哪怕只见一次也好。我闭上眼，慢慢让心绪平静，强迫自己什么也不想。可是，头脑是不可能被控制的，这个奇怪的东西，越是压迫，它就越是活跃。算了吧，还是顺其自然，它累了自然就会休息。

筋疲力尽的我，不知道什么时候入睡的。眼前晃过许许多多

的事物，光怪陆离，似乎说明了什么，又似乎毫无意义，都不记得了。恍惚之间好像还在楼下的大堂，电梯门合上的一瞬间，看见他模糊的脸，眼神透过万千阻隔，落在我脸上，一阵刺痛，好像被灼伤的感觉。

天亮了，看不见太阳。我走到窗边，拉开窗帘仔细看。街上人来人往，匆匆忙忙，对了，今天是星期一了。走出房间，梅芬还躺在沙发上，眼睛闭着，不知道有没有做梦。脚有点发软，走路轻飘飘的。

洗脸刷牙，梳了一下头发，镜子里的我看上去好可怕，说不上来，形销骨立的感觉。走回客厅的时候，梅芬已经坐起来了，"你没睡了？"

"嗯，"我点点头，"我还要上班呢。"

"不可以，"梅芬提高了声调，"你这个样子怎么去上班？"

"我都说我没事了，你就是不相信我。"我说。

"不行，你忘了上次你在办公室晕倒了？别这么固执好不好？再说晚去一两天也没什么嘛。"梅芬盯着我说。

"好了啦，梅芬大小姐，我听你的好了。"我无奈地笑着。算了吧，上不上班，又有什么所谓呢？

门铃响了起来，梅芬过去开门。毅东提着两个塑料袋站在门口，"两位小姐，外卖来了。"

实在没什么胃口，我喝了小半碗白粥就饱了，梅芬的眼神里满是担忧。毅东说："喂，这可是我亲自下厨做的噢，给点面子多吃点好不好？"

我鼓起余勇，又吃了两块年糕，再把剩下的粥喝完。梅芬的胃口倒是不错，也可能是太累了吧。心里有些歉意，是啊，我不应该拖累别人的。

站起来泡了3杯奶茶，一人一杯。我对毅东说："这也是我亲手泡的，一定要喝光噢。"

"呵呵，没问题。"毅东一脸的欣慰，一口气把奶茶喝下去。

"小心烫啊，笨蛋！"梅芬瞪着他说。

我忍不住开始微笑，看着他们。幸福依然存在，温暖依然存在，是吧？

喝完奶茶，我回到房间，躺下来。始终无法摆脱那种无力感，还是躺着比较好。

门铃又响了，不知道是谁来了。我听见梅芬惊讶的声音，是谁呢？不管了，反正会看到的。熟悉的身影在门口出现，抬起头，是绍平，他脸上满是忧虑，手里拿着一束花，"这是我在龙潭摘的野花，好看吗？"

我点点头，"很好看啊，可是我没有花瓶。"

绍平笑了起来，"我知道，所以我带了一个花瓶过来，放在你

的客厅了，把这花放进去好不好？"

"好啊，嗯，就放这个窗台好了。"我也忍不住笑了。

绍平把花瓶拿进来，插上花，摆在卧室的窗台上，然后在床边坐下。几天没见，肤色晒黑了一点，神情还是那么坦然，"来的时候老张还问我，你怎么这么久都没过去了，是不是嫌他做的糖醋鱼不好吃？"

"才不是，"我摇摇头说，"这段时间……"突然不知道该怎么说下去了。

"很忙是吧？"绍平替我接了下去，"我跟老张也是这么说的，小华现在是上班族了嘛，忙得不得了，一个月能来一次就不错了。"

"是啊，也不知道为什么这么忙。"我说。

绍平笑着说："当然是因为小华太厉害了，所以能者多劳嘛。"

"什么嘛，应该说我太笨，做事做的慢所以才这么忙，"我说，"你呢？这段时间怎么样？"

绍平耸耸眉毛，"还好，老样子嘛。"

"那就好。"我点点头。

梅芬端着两杯奶茶走进来，递给我和绍平，说："小华，我已经帮你请了一个星期假。"

我说："没那么夸张吧？不用这么久的。"

"多休息几天也好，再说你有空可以去龙潭钓鱼啊。"绍平说。

"钓鱼？小华你会钓鱼吗？我怎么没听说过？"梅芬惊讶地问。

"你当然没听过啦，我会的东西太多了，难道一个一个告诉你？"我笑着说。

梅芬一脸不以为然的表情，"钓鱼我不会，不过吹牛我也会哦。"

"什么嘛，不信的话，下次我钓给你看。"我说。

"好啊，下次一定要叫上我噢，我在旁边保护你，免得你被鱼钓走啦。"梅芬笑得很开心。

绍平在一旁跟着笑，我瞪了梅芬一眼，"懒得理你，我要睡觉啦。"

绍平拉着梅芬走出去，房间又安静下来。我的心情也平静下来，大概是因为绍平的关系吧，只要他在身边，我就会觉得宁静，他天生就有这样的气质。

朦朦胧胧睡过去，醒来已经是下午了，梅芬把我叫起来吃饭，这小妮子居然做了一个火锅，热气腾腾的摆在客厅里。我的厨房从来都只用来煮面，想不到也能做出火锅这么复杂的东西。

4个人围着桌子坐下，梅芬打开电视，转到音乐台。刚刚举起筷子，门铃就响了起来。"谁啊？这么会挑时间？"梅芬嘀嘀咕咕走去开门。

"啊，你好，这里是小华的家吗？"一个耳熟我的爱人的声音。

"是啊，你是？"

"噢，我是她的同事，我叫小宝。"天哪！原来是他。

"小宝？这名字蛮有趣的。"梅芬打开门。

"呵呵，谢谢夸奖。"小宝走进来，瞠目结舌地盯着客厅里的火锅，和围着火锅的人。

毅东笑着说："你来的刚刚好，坐下吧，我去给你拿筷子。"

"小华你还好吧？"小宝坐下来就问。

"还可以啦，"我说，"你怎么会过来的？"

"我代表所有同事来看望你啊，那，这个就是证据。"小宝递给我一张大大的卡片，上面乱七八糟的满是签名和问候。"这是全体同事对你的问候，我也有写，你看，就在这里，那，这里是老总写的，这是ＡＤ写的，这个是美珍，还有淑琪，还有……"

"好了，给我吧。"我从他手里把卡片抢过来，"我把它放好。"转身走进房间，眼角有些湿润。

"小华，公司不能没有你，你一定要坚强一点，我们等着你回来。"这是老总的。

"小华，你开心，我们都开心，你难过，我们都难过，所以为了我们，你一定要开心一点，明白吗？"这是ＡＤ的。

"虽然很不情愿，我还是——求你快点回来，不挨骂的日子真的好闷……"这是小宝这个混蛋的，哼，放心吧，我一定好好骂你一顿。

"喂，小华，出来吃饭了。"梅芬在叫我。

我拿出纸巾，擦了擦眼睛，把卡片放到枕头下面。

吃完饭他们都走了，只有梅芬留下来。洗澡的时候，电话响了起来。洗完澡出来，我问梅芬："谁的电话？"

梅芬低着头，一副欲言又止的模样。

"谁的电话嘛？"我盯着梅芬。

梅芬犹豫了一下，"黄子扬打来的，他说葬礼明天举行……"

那个感觉又出现了，先是被抽空，然后被撕裂，黑暗从眼前慢慢升起。我摇了摇头，说："明天……我们一起去吧。"声音却小得自己也听不到。

无论人世间多少悲欢，太阳还是照常升起，这是没办法的事情，该面对的始终要面对。我看了看挂钟，早上8点，叫醒梅芬，"走了，我们应该出发了。"

终于到了，灵堂上最先看到我们的是黄子扬，他没跟我们打招呼，整个人空空的，看不出什么悲喜。仔细看才能发现，他的嘴唇一直在发抖。他身边的老人，应该就是他的父亲吧。本不应该称他为老人的，可是现在看来两鬓斑白的他，好像一夜之间老了10岁。悲哀能打垮一个人，再坚强的人也有被打倒的时候。不

行，我要更坚强一点！

深吸了一口气，我向前走去，黄子捷的照片摆在中央，微笑依然灿烂，可是有什么用呢？那只是一张经过化学处理的纸片。继续往前走，对，再有两步就到了，脚却突然发软。梅芬赶紧扶住我，我抓着她的手臂，不知道自己有没有发抖。那个感觉又降临了，是的，我又看到一片黑暗从眼前升起。

黄子扬也走上来扶住我，张开嘴想说点什么，可是嘴唇实在抖得太厉害。我想叫他不用说话，可是张开嘴，一样发不出声音。梅芬在我耳边轻轻地说："小华，不要太伤心了，保重身体啊。"

好累呀！让我就这么睡去吧，什么也不用想。梅芬把我扶到椅子上坐下，她看了黄子扬一眼，拍拍他的肩膀，"你也要坚强一点，你是个男子汉对不对？"

黄子扬点点头，眼神里满是感激。他的悲哀应该在我之上吧，我想。不管怎样，我不是最不幸的人。

梅芬突然侧过头盯着灵堂的入口，我顺着她的眼神望过去，怡君抱着一束百合走了进来。谁能想到呢？她不是刚刚举行婚礼吗？我看了看她的身后，没有别人跟来，她是一个人来的。

怡君把花放在灵前，鞠躬，转身。我以为她会离开，可是她却向着我们这边走过来。梅芬冷冷地盯着她，她的眼神却只在我身上。黄子扬脸上有一丝无奈，他也认识怡君的。

走到我面前，怡君突然一把抱住我，痛哭失声，"你最明白我的心情，小华，他……他死了，小华，他……"

上帝作证，这一刻我的心里没有怨恨，没有悲苦，心境越过了大悲大喜，反倒觉得安宁，虽然脸上全是泪水。我轻拍着怡君的后背说："别哭了，他没有死，他本来就是天使，现在回天堂去了，没什么好伤心的，等……等我们上了……上了天堂，就能再看到他。"看到脆弱的人，我就会变得坚强。怡君像个伤心的小孩，不知所措，而我是她的姐妹，应该给她勇气，即使我自己也缺乏勇气。

怡君没说话，抽泣了一会儿，松开我，定定地看着我。"谢谢你，小华，"她说，"我现在才知道你比我好，你真的比我好，他是对的……"

"你有完没完？"梅芬瞪着她说。

我拉了一下梅芬的衣服，"别这么对她，梅芬，别这样。"

怡君不理梅芬，拉了一下我的手说："我走了，小华，不好意思，把你的衣服也弄湿了。"

"嗯。"我点点头，刚才说话好像已经用尽我全身的力气，现在，我一句话也不想说了。

怡君离开了。梅芬扶我起来，"我们也走吧，小华。"

走到门口，刚刚准备叫计程车，"等一下。"黄子扬气喘吁吁

地追了出来，走到我面前，摊开手掌，"这个，他一直攥在手里，我想，应该是你的。"

亮闪闪的，是一枚钻戒。我用手按住前额，尽量控制自己，慢慢伸出手，把钻戒拿过来，对着黄子扬露出笑容，"没错，是我的。"

黄子扬点点头，转身又跑了回去。我把钻戒戴在左手无名指上，梅芬一把拉住我的手，大声说："小华，你干什么？！"

我看着她，不说话，眼泪慢慢流了下来。月光下面，我看见梅芬的眼角也湿了，她用双手抓着我的手臂，用力地摇晃，"他已经死了，你还不明白吗？他已经死了！"

"可是……可是……"我说不出话来，梅芬拿起我的左手，打算把戒指取下来，"不要！！"我尖叫一声，一把推开梅芬。

她呆呆地看着我，我抓着她的手说："求求你，不要……"心里一阵刺痛让我说不出话来。

梅芬一把抱住我，摸着我的头发说："好了好了，没事了，没事了……"

理智的堤防一下子崩溃，我用尽全身的力气——哭，把所有的悲伤都哭出来，把生生世世的泪水用尽，管它什么天崩地裂、洪水滔天，我什么都不管，我爱的人死了，我想哭，我想痛痛快快地哭一次，然后，再也不哭了。

9

Waiting for a cup of Hot Milk Tea

Life has to go on

那一晚我不记得是怎么回家的，反正，我醒来的时候，已经是第二天了。浑浑噩噩地起床，洗完脸就走下楼。公寓门口已经有人早起锻炼了，我东张西望了一阵，突然想起来：我要去哪里？然后又发现：我穿的是睡衣。马的，怎么搞的？急急忙忙地跑回房间，坐在沙发上，看看挂钟，才7点30分，不知道做什么好，还是接着睡觉吧。

睡到一半就被电话吵醒，"喂——"

"是我啊，懒虫，起来吃午饭啦，头还痛不痛啊？"梅芬说。

"知道了啦，头不痛了，可是肚子也不饿。"我说。

"不饿也要吃！"梅芬的声音好大，我赶紧把话筒拿的离耳朵远一点。这小妮子，怎么语气越来越像我妈了？

"好了好了，我去吃就是了，这么大声干吗？"我说。

"我哪有很大声？冰箱里有吃的，你最好是热一下再吃，不要偷懒。"

"好了啦，真罗嗦。"后半句我说得很小声。

放下话筒，又去洗了一次脸。打开冰箱，哇塞！全部给我塞满了，乱七八糟的，这么多东西，叫我吃什么好呢？想了一下，拿了一个面包出来，然后泡了一杯奶茶。这样的午餐，既营养又简单，绝对是最佳选择。

吃完午餐，打开电视，漫无目的看了一会儿，也不知道看过些什么。下意识地摸了一下左手，然后把左手抬起来，先看看手心，再看看手背，不管看哪一面，都能看到那枚戒指。心里有什么东西要涌上来，我用力地甩一甩头，冲到洗手间，用凉水泼到脸上。心底黑暗的恶魔终于消退了。

门铃响了起来，我跑去开门。

"早啊。"绍平微笑着说，手里抱着一束野花。

"早什么早？都快两点了。"我说。绍平什么时候也爱开玩笑了。

"是吗？"绍平在沙发上坐下，"可是你的样子好像刚刚起床噢。"

"嗯？"我摸了一下脸蛋，湿漉漉的。原来如此，可是忍不住分辩，"其实我已经起床很久了，刚刚头有点晕，就又洗了一下脸。"

"噢，是这样。"绍平说。我松了一口气。绍平接着又说："可是你眼睛肿肿的……"

气死我了！绍平什么时候也这么刻薄了？我泄气地说："好了好了，我承认好了。噢，对了，你等等，我泡奶茶给你喝。"

"嗯，"绍平点点头，"上次给你的花快谢了吧，把这些换上去吧。"

"噢，好的。"我把奶茶拿给绍平，"对了，刚好你过来，带我去钓鱼好不好？反正我也没事做。"

"好啊，老张不知道多牵挂你呢。"绍平笑着说。

把花拿到卧室里换上，然后关上门，换好衣服。回到客厅，绍平说："这样就漂亮多了。"

"哼，那还用说？噢对了，你吃过午饭没有？"我说。

"吃过了。"

"嗯，那我们就出发吧，你有骑车过来吧？"

"有啊，走吧。"绍平起身去开门。

　　推出摩托车，绍平和我一起向着龙潭出发。风景还是以前的风景，只是心情大不一样了吧。树林还是那片树林，稻田还是那片稻田，却没了当初那种喜悦的情绪。没什么悲喜，只是从容地观察，是不是因为我也长大了？好像比以前更明白绍平的心境，更明白隐藏在风景背后的意义。

　　到了绍平住的小院子，"等我一下啊，我去拿点东西，摩托车就放在这里吧。"

　　我点点头，开始打量他的小院子。孤零零的一棵桑树种在院子中央，有风过来的时候就发出一点声响，除了这声响之外，就只剩下寂静了。想起绍平一个人，在这个院子里度过了多少时光，心里竟有点发痛。我明白，一个不再拥有爱的人，只能在这样的地方，这样消磨时日。让时间慢慢洗去心上的血泪，让创痛慢慢平复。绍平，你是这样活着的吗？都是因为我……我低下头，看看手上的戒指，酸酸的痛楚从心底涌起。用力吸一口气，然后呼出来，平静了一些。

　　"走吧。"绍平戴着草帽从院子里走出来，手里提着鱼篓和钓竿，递给我一顶草帽。我笑了一下，戴在头上，感觉有点古怪。要是你看到对面走来一个女孩子，穿着大Ｔ恤和滑板裤，头上还戴一顶老式草帽，你也会觉得古怪。

　　沿着田埂走了十多分钟，就到了竹林边上。落叶更多了，大半的叶子已经枯黄，只是隐约透出一点绿意。鞋踩在落叶上，落叶陷进泥土，不知道过多久，就成为泥土的一部分，逝去的生命又孕育新的生命，生生死死，轮回不息，大概就是如此吧。前面的路上，一只灰色的蛙停在中间，在我们靠近之前跳开，几个起落就看不见了。

湖面漂了许多枯叶，湖水却更绿了，不知道是什么原因。"去那边钓吧。"绍平带着我沿湖边又走了一段，"就在这里。"

我在草地上坐下，绍平把钓竿调好，挂上鱼钩和鱼饵，挥动了两下，鱼钩带着丝线划出一道圆弧，没入水面。"你来钓吧。"绍平在我旁边坐下来。

"不要了啦，我看你钓就好了。"我说。

"也好。"绍平点点头，把帽檐压低了一点，对着水面出神。

凉风习习，湖面泛起一阵波纹。

背后响起细微的脚步声，回头一看，一个身影正穿过竹林，样子看不太清楚。绍平还是一动不动地坐着。越来越近了，走出竹林的时候才看清楚，"喂，绍强。"我远远地喊了他一声。

绍强愣了一下，朝我这边看过来，"啊，是小华啊，真是太意外了。"他笑得很开心。绍平也侧过身体，对着他微笑。

"噢，我……我找你拿钥匙，到你那儿拿几本书。"绍强对绍平说。

我笑着说："在这坐一会儿吧，我们好久没见了噢。"

"不用了啦，我最怕看他钓鱼，闷死了，呵呵。"绍强说着，绍平把钥匙扔给他。

"你继续看钓鱼表演吧，我要先走了噢，下次我去你家找你聊天吧。"绍强说。

我只好耸耸肩膀，"那好吧。"

不知道过了多久，昏昏沉沉的我躺到草地上，拿草帽盖住脸，不知不觉睡着了。

"喂，起来啦，懒虫。"是绍平的声音。

我睁开眼，"钓了几条鱼？"

"你自己看嘛。"绍平笑着说，把鱼篓伸到我面前。我看了看，好像有四五条的样子，"哇，你比上次进步了噢。"我说。

"是吗？"绍平说，"可能这次你睡得比较久吧，走吧，我们去看看老张。"

老张的饭馆空荡荡的，我找了张椅子坐下，绍平提着鱼篓走到饭馆后面，"老张——"

"在这里，绍平来了啊。"老张的声音从屋顶上传过来。

我跑到院子里，对着屋顶喊："老张，你的屋顶又坏掉啦？"

"呵呵，小华也来了，好久没见你了噢。"老张说着，慢悠悠地从梯子上爬下来。

"几天不见，小华变漂亮了嘛。"老张说。哼，以我的经验，这句话肯定是言不由衷。所以我回答道："哪有？老张也越来越年轻了嘛，以后要叫你小张啦。"我也言不由衷一回吧。

"哈哈，说变漂亮是骗你的啦，嘴巴倒是变厉害了嘛。"老张拍拍我的头说。

我笑着说："我也是骗你的啦。"

绍平在一边开心得不得了，"老张，无话可说了吧。"

老张看了看绍平手里的鱼篓，"今天收获不错嘛。"提起鱼篓就往厨房的方向走。

糖醋鱼还是那么棒，这顿饭吃得还是那么开心。好想一直待在这里，可是不行啊，至于为什么不行，我也不知道。

吃完饭，老张说等一下，转身走进一个小房间，拿了一个小盒子出来，"这里面是一幅字，送给你的噢。"

"真的？"我说，"写的什么字嘛？"

"呵呵，等你回家再打开看吧。"老张神秘兮兮地说。

"好吧，谢谢你噢老张，你真的太好了。"我满心感激地说。

跟着绍平回他的院子，我骑上摩托车，绍强从院子里走出来，"要走了吗？以后要常来噢，小华。"

"知道了啦。"对他们挥一挥手，踏上回家的路。

到家的时候差不多8点，天已经全黑了。我坐在沙发上，把

老张给我的盒子打开，里面是一幅卷轴，慢慢地打开，上面写着"与往事干杯"。

突然有一种想哭的冲动，突然想喝酒。就这样静静地坐着，端起酒杯，"来吧，往事，我们干杯。"可是没有酒，心里面却盘旋着无数的往事。那张熟悉的脸，是他，笑容依然温暖，我的心却越来越寒冷。不行，不行，不能这样想下去了。

用力甩一甩头，跑到洗手间，打开水龙头，冷水浇到脸上的感觉真好。看看镜中的自己，衣服跟从前一样，长相跟从前一样，只是眼神里面，多了一层淡淡的雾，那雾后面是什么？我不愿意多想。

又是新的一天，"Anyway, life has to go on."这是我喜欢的一句台词。今天要开始上班了，心里竟有些期待的感觉，不知道为什么，大概忙碌也是幸福的一种吧。忙忙碌碌总比无所事事要好，无所事事的人就会像我一样，整天胡思乱想，想得头痛欲裂，还是想不出什么结果。

特意起早了一点，说真的，我不知道该怎么面对那些同事，我简直不想面对任何人，那关切的眼神对我而言，是另一种难言的痛苦。早早地来到办公室，看起来还是空空荡荡的，好像大家都还没来上班。最好是不要碰到任何人，我暗暗祈祷。

小心翼翼地走过去，贴着墙边，我尽量放轻脚步声。工作间里有一个熟悉的身影，小宝这家伙总是这么早来，我静静地站在他身后，看着他忙碌。这些天他应该很辛苦吧，一个人面对堆积如山的稿件堆，压力起码是以前的两倍，可怜的小宝……想到这里，心里泛起一阵歉意。

好像有第六感一样，小宝转过头来，"啊，小华，真的是你，不是还要多休息几天吗？"

我有点不知所措，"噢，没什么，我已经没事了嘛，想想还这么多事情没做完，所以过来看看啊。"

小宝站起来，搓了一下双手，不知道该说什么的样子，"那……那就太好了，你能来就太好了，不然我早晚会累死掉的，呵呵。"

"好了啦，"我对他露出一丝微笑，"那个案子现在忙得怎么样啦？"

"嗯，差不多快结束了，原来预计下个星期搞完的，现在你来了，应该这个星期就能结束了。"小宝笑着说。

我点点头，坐到我的位子上，打开电脑，屏幕上的字符看起来似乎有点陌生，其实也不过才离开几天而已，怎么会这样呢？大概这就是所谓——恍如隔世吧。

小宝走到我身边，慢慢跟我说案子的进展细节。收拾好心情，我要开始工作了，恢复万能广告人的本来面目，呵呵。

　　"小华，你来了啊，还好吧？怎么不多休息两天呢？"不知道什么时候，美珍跑到工作间来，丢过来一大堆问题。

　　我能怎样呢？傻傻地笑着，一再保证我确实没事了。不管怎样，有人关心总是好事，虽然她关切的眼神让我有些刺痛。

　　美珍刚走，AD又跑过来，"小华啊，嗯……"

　　看着他那副沉思的模样，我赶紧说："没事，我真的没事了，你放心好了。"

　　"嗯，那就好，好好工作噢。"AD点点头，转身走了出去。

　　应付完所有的慰问团，我松了一口气。早知道这些躲也躲不掉的，还是抱着侥幸的心态。还好终于结束了。小宝一直呆呆地在一边不出声，这个家伙今天怎么这么古怪？

　　工作的时间总是过得特别快，可能一切都是因为心情的不同吧，希望时间过得慢一点，它反而跑得飞快，希望时间快一点，却总是度日如年，生活就是这么矛盾的，对吧？

　　"我去帮你买饭，你吃什么呢？"小宝说。

　　"嗯，随便啦，你吃什么给我多带一份就好了。"我漫不经心地回答。

　　小宝走出办公室，我继续应付设计稿，努力工作对我好像是一种特别的快乐。15分钟后，小宝提了两个盒饭上来，放在桌上，然后递给我一罐热奶茶。

我愣了一下，接过奶茶，打开拉环，喝了一口。这温暖的液体能冲刷心中的寒冷，我想是这样的。抬起头看看小宝，他的脸上始终带着笑容，好像永远没有烦恼一样，或者是有，但是被刻意忘记吧。

"还是鳗鱼盒饭加奶茶，没意见吧？"小宝说。

"没有，很好啊。"我说。

"你真的特别好养哎，几个月都不用换食谱的。"他笑着说。

我瞪了他一眼，"你很难养吗？是不是每天要喂骨头给你吃？"这家伙才刚刚老实了一会儿，现在又露出真面目了。

"我也很好养啊，"他摸一摸下巴，"什么都不用喂，给钱我自己去买就行了，呵呵。"

我又被他逗笑了，"什么嘛？哪有这样的品种？全台湾也只有一只吧？"

跟往常一样，嘻嘻哈哈地吃完饭，又鬼扯了一会儿，然后各自埋头工作。到下班的时候，进展还算令人满意，不出意外的话，后天就可以结束了。想到这里，心里难言的轻松。

"喂，我先走了噢，你还要留在公司吗？"我拍拍小宝的肩膀。

"嗯，我也走了，反正今天也做不完。"小宝说。

跟小宝一起走下楼，小宝问我："你晚饭去哪里吃啊？"

"回家随便吃点什么就行了，冰箱里装了一大堆吃的。"我说。

"这样可不大好哎，要不我请你吃饭好不好？只要别吃的太贵……"他一副欲言又止的样子。

"什么嘛？哪有像你这样请客的？小气鬼！"

"好吧好吧，吃贵一点也行，反正你下次可以回请我……"他又说。

这个家伙，请人吃饭都这么缺乏诚意的？算了吧，回家也没什么事可做，就勉为其难，让他请一次好了。

小宝带着我走进一家湖南菜馆，门口就挂着两串鲜红的干辣椒，加上屋檐上悬着的红灯笼，很是热闹喜庆的样子。这个时候正是用餐的高峰期，我们转了一圈，才在楼上找到位子。

点完菜，小宝跟侍应生说："别做得太辣噢，这位美女……"

我赶紧打断他："什么嘛？别理他，做辣一点，越辣越好，听到没？"

可怜的侍应生左右为难，望着小宝，小宝耸耸肩膀，"那就听这位美女的吧。"

半小时之后，我已经开始后悔刚刚的决定。那次与小宝一起狂吃番茄辣酱的情景又浮现在眼前。妈的！我怎么这么没长性呢？小宝似笑非笑地看着我，"你没事吧？"

我满脸通红，不停地吸气，哪里有空回答他的破问题？摇摇头，然后挥手叫侍应生过来，"水，给我再倒杯水。"

"呵呵，吃不了就少吃一点嘛，别这么拼命。"这个混蛋居然趁机取笑我。

"哼，"我灌了一大口水下去，"要你管！"

水喝下去不久，那种火辣辣的感觉又出现了，而且好像比喝水之前更厉害。天哪！脸上凉凉的是什么？不会是眼泪吧？要死了啦，太丢人了。

小宝递给我一张纸巾，我拿过来把汗水和眼泪擦干，没空跟他计较了。

饭终于吃完了，从餐厅走出来，夜风吹过来，后背也有点发凉。马的，看来是出了一身汗。小宝脱下外套披在我身上，"小心别着凉了哦，你要是病倒了我可负不起责任。"

我瞪了他一眼，"都是你害的，你还想推托责任啊？"

"当然不是，这样吧，我送你回家，你到家了再把衣服还给我好不好？"小宝笑着说。

"小气鬼！谁要你的破衣服？"我准备把衣服脱下来给他，他突然按住我的手，"别生气嘛，我开玩笑的啊。"

心突然被什么击中，我看着小宝，他松开手，耸耸肩膀，"走吧。"

到公寓楼下的时候大概8点，从小宝的摩托车上跳下来，把衣服递给他，"谢谢啦，早点回去睡，我就不请你上去了哦。"

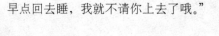

他点点头，微笑着挥挥手，"拜拜。"

1分钟之后，他的身影已经消失在街角。我呆呆地站着，直到一阵寒意从后背袭来，才赶紧跑进公寓的大堂。

终于到家了，走进洗手间照照镜子，脸颊通红通红，应该是辣椒的功劳吧，这样子的我看起来还是蛮可爱的。自我安慰了一番，再给自己泡一杯奶茶，坐在沙发上开始例行的发呆。

拿起电话拨梅芬的号码，拨了两个数字又停下来，算了吧，今天就先这样吧。叫她上来的话，她肯定又是一大堆问题，这小妮子现在越来越罗嗦了，应该是即将嫁人的先兆。想起上次她对我倾诉烦恼，现在不知道她心情究竟怎样了。站在岔路口中间，谁都会不自禁地伤感，惟恐丢失一段美好的可能，可是不管怎样选择，遗憾始终都会有的，选择的意思就是放弃其他吧？怎么会没有遗憾呢？抬起左手，看到那枚戒指的时候，心情已经平静了许多。

不想那么多了，洗完澡睡觉吧，但愿不要做梦。

日复一日，看上去工作的日子都是千篇一律，其实每一天都有些不一样，可是具体有哪些不一样，我也说不上来。很快就过去了3天，我们的大案子终于完成了。从办公桌上抬起头来，窗外的阳光好像格外灿烂，空气也格外清新，随便一眼望过去，心就随着目光飞了起来。

小宝欢天喜地的，好像要过节了一样，"万岁！终于做完了！"他举起手来大叫。

"喂，这么开心干吗？做完一个还有下一个噢。"我忍不住要打击他一下。

"嗯，下一个案子做完我们会更开心的。"他点点头说。

下午的时候AD跑到我们的工作间，好像下巴都快脱臼的样子，"太好了，你们的设计方案已经通过了，客户还续签了一年合约！"

"真的啊?!"我也忍不住站起来，AD拍拍我的头说："当然是真的，小华，嗯，还有小宝，辛苦你们了！你们真的很棒！"

好久没有体会过这种开心的感觉了，太棒了！这么多天的努力终于有了结局，而且是大团圆的结局噢。我兴奋得要命，用力拍拍小宝的肩膀，"辛苦你啦，小宝同学！"

"哇！轻点好不好？"小宝怪叫一声，AD也学我的样子扬起手，小宝有如惊弓之鸟，赶紧逃到一边。

ＡＤ把手放下来说："还有噢，老总说了，明天晚上公司全体同事去ＫＴＶ，给你们庆功。"

"太棒了！你不是骗我吧？"小宝走到ＡＤ身边，终于还是被拍了两下。

"当然是真的，不记得了吗？上个月老总就答应过你们的哦。"

ＡＤ非常有诚意地说。

我笑着说："算了啦，不是说要节约运营成本吗，还庆什么功嘛？"

小宝凑过来说："你这个想法可是错误的噢，庆功是为了激励员工士气嘛，怎么能省？"

"对对对，小宝说得对。"ＡＤ笑着说。

星期五晚上，全体同事都涌向ＫＴＶ，我当然也不例外。庆功当然少不了喝酒，喝酒当然少不了我和小宝，没办法，我们也算是主角嘛。四周热热闹闹，开心啊，所有人都在开心。可是这开心跟我有什么关系？我一阵晕眩，觉得他们都离我好远。昏黄的灯光下面，翻动着难言的情绪。

"来嘛，喝酒嘛，我们再喝。"我东倒西歪地走到小宝旁边，他赶紧站起来扶着我，"拜托啦，你不能再喝了。"

我一把推开他，"你管得着吗？我偏要喝，谁不让我喝酒，我就跟他翻脸！"

"好好好，我陪你喝。"小宝可怜兮兮地看着我，眼神里闪动着模糊的担忧。灯光太暗了……

我在包房里转来转去，一杯一杯地喝酒，好像双臂下面有什么东西在生长，对了，是翅膀。再喝几杯，我就能飞起来了，就能去天堂了，去天堂干什么呢？我也不知道……

意识再度恢复清醒的时候，四周已经很明亮了。发生什么了？谁送我回来的？从床上爬起来，头痛得要命，东张西望了一会儿，看到桌上摆着一张纸条，我拿起来。

"小华，先跟我说声谢谢吧，是我送你回来的。你喝得太多了（还好没吐）！

知道吗？我守了你几个钟头，目不转睛看着你，你的样子太伤心了，一边睡觉一边流泪（不信可以看看你的枕头）。

你相信吗？我的胸膛里也有一颗心在跳动，这颗心也会觉得痛。

我不想说别的什么，只想说别伤心，你再伤心下去，不仅是对自己残忍，也是对爱你的人残忍。忘掉痛苦吧，昨天已经过去，而明天肯定充满欢乐，所以今天不要哭……

小宝"

愣愣地站了一会儿，心里一阵酸，一阵苦，后来又有些甜的余味。爱我的人？应该不是他吧？抬起左手，戒指依然闪闪发亮。据说钻石是永远不会变质的，天知道。爱，我害怕看到这个字眼，太过沉重，也太过危险，一不小心，在爱中辗转的人们就会粉身碎骨，不见天日。可是，不管怎样，生活还是要继续啊……

我走进洗手间，把凉水浇到脸上，心情稍微平静了一点。不要想太多了，生活越简单越好，对不对？

回到公司，大家看我的眼神都充满笑意。要死了啦，肯定是昨晚酒喝得太多，闹了不少笑话吧。我一路赔着笑脸，赶紧逃回工作间。

小宝的脸上一切正常，看不出什么起落。这个家伙到底在想什么？也许他不像外表看上去那么单纯，一直小心地收藏自己的悲喜，认识他这么久，突然发现自己好像完全不了解他。是的，他说过他的过去，可是说的那么轻松，我也从来没仔细想过，那对他意味着什么。归根到底，都是因为我的自私吧，懒得去理解别人的想法，用自己的眼光衡量一切，多么可笑的人啊！我就是这样子的吧。

"你来啦，怎么样？头还痛吗？"小宝转过头来问我。

"噢，不痛了，"我愣愣的，不知道说什么好，"昨天，谢谢你啦。"

"呵呵，没什么的。"还是那样的笑容，让我一下子变得轻松。

还是要继续工作，一个案子完了，还有下一个案子。广告人的征途是无穷无尽的，唉，广告人应该是没空去关心感情纠纷的。收拾心情，投入战斗，嗯，现在就开始，我心里默默念叨了两遍，然后把电脑打开。

下午两点多钟，手机响了起来，按下接听，"喂，哪位？"

"小华是我啊，我是吴宇凡啊。"还是那个搞笑的声音，看来确实是他。

"你这个混蛋，这么久也不跟我联系。"我没好气地说。

"呵呵，忙着做娃娃嘛，喂，告诉你一个天大的好消息，我的娃娃终于完工了！就是那个，飞翔恋偶。"

"真的啊？"我也按捺不住地兴奋。

"对啊，所以呢我跟佳涵想请你吃饭，看看我们的作品，对了，叫小宝一起来噢。"

我侧过头看了一眼，小宝正专心对着电脑，不知道忙些什么。

"嗯，好的，几点钟啊？"我说。

"7点30分吧。"

"好的，到时候见。"放下电话，我的脸上还挂着笑容，好想看看吴宇凡和佳涵的娃娃，要知道，这里面也有我和小宝的心血噢，是我们共同的飞翔恋偶。

"喂，"我拍拍小宝的肩膀，"晚上有空吗？"

他一脸茫然的抬起头，"怎么？这么快就要回请我啊？"这个小气鬼，请我吃过一次饭，从此就念念不忘。

"不是啦，吴宇凡的娃娃完工了，就是我们一起帮他想的飞翔恋偶，他要请我们吃饭。"我说。

"真的啊？"他的反应跟我刚才一样，"那好啊，我也真的想去看看。"

拍一拍脑袋，他脸上的光彩又黯淡下来，"不行噢，我差点忘了，今天是孤儿院的院庆日，我一定要去参加的。"

"是吗？"我随口应着，不知道怎么搞的，心情也随着暗淡下来。

"看来只能你一个人去了，下次我有空再去他家里参观。"小宝沮丧地说。

"那也只能这样了。"我点点头。

下班的时候跟小宝一起下楼，在楼下说再见，各自走各自的路，说不出来的伤感。

到吴宇凡家差不多7点15分，我敲开门，"Welcome！小华！"吴宇凡大叫一声，这家伙什么时候英文变得这么好了？他探头探脑看了一会儿，"小宝呢？小宝没来吗？"

"是啊，他还有别的事，来不了啦，他还叫我跟你道歉呢。"我说。

吴宇凡脸上难以抑制的失望，"没关系的，道什么歉嘛，来吧，快进来坐。"

客厅还是跟上次来的时候一样，我一进门就跑到展示柜旁边，仔细打量了一番。

"嘿嘿，不是在这里面噢。"吴宇凡神秘兮兮地笑着，跑进房间拿出一个大盒子。"Look！宝贝在这里！"

我伸手去抢盒子，吴宇凡一缩手，把盒子藏到身后，"这一盒是专门送给你的礼物，现在不能看噢，等你吃完饭回家了才能看。"

"死吴宇凡，敢吊我胃口，哼，不看就不看，肯定是做的太难看了，你拿不出手是不是？"我气鼓鼓地说。

"嘿嘿，激将法对我是没用的，你看你嘛，性格还是老样子，这么沉不住气。"吴宇凡一脸坏笑，掩饰不住的得意。

"懒得理你，喂，佳涵呢？"我放弃了斗嘴，嗯，最近我的脾气似乎越来越好了，至少我自己是这么认为的。

"她去买菜了，啊，怎么还没回来呢？"吴宇凡担忧的眼神望向窗外。我也忍不住开始担忧，佳涵去买菜，这是多么让人担忧的事啊！天知道她又会忘记什么，这次不会是把自己给忘了吧？

正在胡思乱想，门外传来把手转动的声音，我睁大眼睛看着门口，果然是佳涵，"啊，小华来了啊，小宝呢？"

"噢，他有事不能来了。"我只好又解释了一次。

"真的吗？什么事这么要紧啊？"佳涵一边问，一边提着大大小小的塑料袋走向厨房，吴宇凡赶紧冲上去帮忙。

这个佳涵，问题还真是多哎！我只好说："他们孤儿院院庆，他说一定要去参加的。"

"孤儿院？！"他们夫妻俩一起回头看着我，"难道说……小

宝是个孤儿？"

在他们的逼视之下，我不禁有点不自在了，"是……啊，他……没跟你们说过吗？"

佳涵把一大堆材料放好，又走出来说："他当然不会说啦，谁愿意满世界去说自己是孤儿？"

"对啊，这种事谁愿意提起啊？"吴宇凡也跟着说，"不过说起来，小宝真的很了不起噢，看他的性格这么阳光，一点也看不出来有那样的伤痛。"

"而且还这么能干。"佳涵补充了一句。

是吗？小宝真的有这么多优点吗？怎么我一直没发现呢？唉，好失败！我想反驳他们两个，可是想一想，肯定争不过他们，还是算了吧。

"快去做饭吧，佳涵，"我拉着佳涵往厨房里跑，"我已经饿得不行啦。"

两个人在厨房忙碌了一阵子，一顿饭终于准备得差不多了。我跑到客厅，看到吴宇凡坐在沙发上，很是寂寞的样子，"喂，懒虫，快点准备桌椅，要开饭啦！"我对着他呼喝了几句，他马上从寂寞的沙发上跳起来，开始拖桌子椅子。我和佳涵把饭菜弄出来摆好，OK，可以吃饭啦。吴宇凡居然从冰箱里拿出两罐啤酒，递给我一罐，我对他赞赏有加。

佳涵的手艺好像进步了不少，人终究会成长的，是吧？吴宇凡说："对了，还要告诉你另一个好消息，已经有一个百货公司答应接收我们的娃娃了，快的话，可能下个星期柜台就有得卖了。"

"真的啊？"我惊讶地说，"那真是太好了。"

"真的啊，这个要多亏你和小宝噢，尤其是小宝，他帮我们写了几万字的行销方案，我们都不知道该怎么感谢他。"

这下我更加惊讶了，小宝这家伙，居然从来没跟我说起过！真不知道该怎么说他！

"来，为了我们的飞翔恋偶，也为了我们共同的朋友小宝，干一杯吧！"吴宇凡一本正经地说。

我赶紧打开啤酒罐的拉环，佳涵也端起一杯果汁，"Cheers！"我一口气把一罐啤酒喝了下去。

吴宇凡呆呆地看着我，"你……你喝光了？"

"是啊，你不信？"我把易拉罐倒过来，"你看，真的没有了。"

"哇塞！小华你现在怎么这么厉害了！"吴宇凡惊叫了一声。

"哼！别废话了，是你说干杯的，你也要喝光噢，别想赖账！"我盯着他说。

吴宇凡苦着脸把一罐啤酒喝下去，脸上顿时飞起了两朵红云，超可爱的样子，呵呵。

吃完饭已经差不多9点30分了，吴宇凡把大盒子递给我，"记

得啊，回家再看噢。"

"知道了啦。"跟他们说完再见，我骑上摩托车，走上回家的

路。

10点了，一到家就看到墙上的挂钟。我坐到沙发上，拆开吴

宇凡给我的大盒子，里面还有一个透明的小盒子，3个娃娃并排

躺着，打开小盒子，拿出娃娃，仔细打量着。

第一个娃娃留着红褐色的长发，细腰长腿，一身火辣的打扮，

有点像……像谁呢？

对了，是若兰！一想到这一点，顿时觉得这个娃娃跟若兰简

直是一模一样，眉目，神情，穿着，就像若兰的翻版。心里涌上

一阵伤感，若兰，你在什么地方呢？要是你能看到这个娃娃就好

了，还有，你……找到阿问了吗？忍不住扭头看看窗外，说不定

夜空中会有天使经过呢！竖起耳朵仔细听了一会，却听不到拍动

翅膀的声音。

若兰娃娃的身后有一个小背包，我凑近了看，背包上有一根

粉红的飘带打成活结，上面写着"为爱去飞吧！"轻轻一拉，背包

散开垂下，一对透明的翅膀弹了出来！

我愣住了，好棒的设计！那对透明的羽翼，不止是那晶莹的

美让我震动，还有它张开的那个瞬间，我的心弦不知道被什么拨

动，突然想起那一段话——

"他在里约热内卢，她在台湾。延续5年的爱被空间隔断，她以为一切从此结束。

"他在阳光下流浪，背包装着思念。她凝望天空，看到爱远去的方向。

"台湾——里约热内卢。今天，为爱去飞吧！"

痴痴地想着，眼泪静静地流下来。为爱去飞吧，若兰，为爱去飞吧，子捷，总有一天，我也会飞起来，当我的身体不再沉重，当我找到飞行的方向……上帝给了每一个人飞翔的能力，我们缺少的，只是勇气。我怕天空的寒流，怕闪电和风雪，怕历尽千辛万苦之后，却见不到我的天使。其实，有什么可怕的呢？只要曾经张开翅膀迎向天空，飞动的心就再也不会后悔。远在天上的灵魂，此刻一定在嘲笑着我们吧，地上懦弱的人们。

放下第一个娃娃，走进洗手间，洗了一下脸，回到沙发上，继续看我的娃娃。第2个娃娃一头火红的短发，一身橘黄色的洋装，左手支在腰间，右手伸出食指，向着斜下方伸直，嘴角上翘，一脸倔强俏皮的神情，我看了就忍不住笑出来，这不是梅芬吗？哈哈，明天一定要把这个拿给她看，她的表情一定很好玩。这个造型不知道是谁想出来的，嗯，肯定是吴宇凡，呵呵，看梅芬怎么教训他。

这个娃娃也有一个背包，上面绑着一根像鞋带一样的绳子，

拉开它，一对粉红的翅膀张开了一半，再用力一拉，翅膀才完全张开。呵呵，这个死人吴宇凡，给梅芬安翅膀也安得不用心。

第3个娃娃的衣着最古怪，一件松松垮垮的大T恤，上面印着"I love milk tea！"，一条深灰色的滑板裤，凌乱的黑色长发，漫不经心的表情，这个……这个……这不就是我吗？哈哈，我大笑了两声，吴宇凡这个混蛋，做的可真像。把娃娃转过来，一个带绳结的背包挂在身后，我满怀期望地拉开绳子，背包散开，两条飘带轻轻地垂下来，一条写着："我是小华 我很懒"，另一条写着："我爱睡觉 不爱飞"。

气死我啦！马的，吴宇凡这个混蛋，实在是——太了解我了！想到这里，又忍不住笑起来，过一会儿看一遍飘带上的字，越看越开心，呵呵。

独自欣赏了一会儿，然后把第3个娃娃——名叫小华的娃娃摆在墙边的柜子上。第一个我要拿去公司里摆着，嗯，就摆在电脑桌上，第2个呢，就送给梅芬吧。这个安排还不错，好了，可以睡觉了。

躺到床上已经11点多了，定好闹钟，躺下来，对着天花板，又开始胡思乱想了。马的，要是我身上有个开关一样的东西就好了，一按就停下来，什么也不想，再一按就开始运转、工作、吃饭、喝水等等。上帝当初造人的时候肯定忘了装上这个零件，所以我们才会有这么多烦恼。

心里乱糟糟的，一下子想起小宝，黄子捷，若兰，还有阿问。他们的脸，有的忧郁，有的明朗，有的不知所措，凌乱得要命。朦朦胧胧地看见许多双翅膀，在各种气流里面翻腾，有的飞向这边，有的飞向那边，有的飞向我……

天亮了，闹钟响个不停。我从床上跳起来，匆匆洗漱了一番，就冲下楼去。等一下！我还要拿上娃娃，于是又急急忙忙跑上楼，拿上若兰娃娃。

还没走进办公室就听到小宝的声音，这家伙不知道又在跟哪个美女说笑。看到我走进来，小宝远远地叫了一声："早安！"他身边的淑琪也对着我微笑，"早啊，小华。"

我点点头说"早安"。小宝走过来问："怎么？有没有见到他们的娃娃？"

"嘿嘿，当然有。"不知不觉，我的语气怎么有点像吴宇凡了？

"真的？什么样子的啊？"小宝说，淑琪也好奇地探过头，"什么娃娃？你们在说什么啊？神神秘秘的……"

"呵呵，不是娃娃，是飞翔恋偶，你肯定没听说过的。"我得意地说。

"什……什么飞翔恋偶？"淑琪听得一头雾水，迷茫的眼神看看我，又看看小宝。

"那，就是这个！"我把娃娃拿出来，打算给淑琪看，却被小宝这个混蛋抢了过去。

"要死了你？这么没风度的？"我忍不住骂他。

"给我先看一眼嘛。"小宝可怜兮兮地说。淑琪也一脸同情的说："是啊，就给他先看看嘛。"真是没办法！

"很漂亮嘛，真的很漂亮。"他赞叹地说，淑琪也凑过去一起看，"是啊，真的好漂亮噢。"

小宝看娃娃一眼，又看我一眼，摇摇头，再看娃娃一眼。马的，这个混蛋在想什么？

"喂，你胡思乱想什么啊？"我忍不住说。

"啊？我想什么你也知道吗？"小宝很无辜地说。

"看你的表情就知道，你看娃娃就看嘛，干吗又要看我？肯定在心里说'差的太远啦'，对不对？"我恶狠狠地说。

"哈哈，你太厉害了，我想什么你也能看出来。"看他可恨的表情，居然像是承认了。淑琪在一边笑个不停，"你们两个好有趣噢！"

我从小宝手里把娃娃夺过来，拿给淑琪看，"那，别理他，我来说给你听，这个娃娃是我的朋友做的，叫做飞翔恋偶，一整个系列的，这只是其中一个，而且呢，这一个的造型是照着我一个朋友的样子做的……"

"真的吗？你那个朋友肯定是个大美女吧？"美珍不知道什么时候，率领着人事部的一群姐妹跑了过来，她们是出了名的耳目灵敏，唉，没办法，搞的像产品展示会了，也好，就帮吴宇凡免费宣传一次吧。

"是啊，真的是个大美女，那，你们再看这个娃娃……"我接着往下解说。

"这个大美女叫什么名字啊？什么时候带来让我们见见嘛？"死了，策划部的几个混蛋也跑了过来。看看挂钟，还好，没到上班时间。

"见鬼了你，人家现在在南美洲，你有种就买张机票去看她吧，"我没好气地说，"好了好了，都不许打岔，不然我就不说了。"

"别卖关子嘛，说嘛说嘛，接着说。"美珍吵着说。

真拿他们没办法，"那，你们看，这个娃娃为什么叫飞翔恋偶呢？其实是有一个很动人的故事的，不过因为时间有限啊，就不说这个故事了……"

"说嘛说嘛，什么故事啊？"美珍又在制造麻烦了。

我假装没听见，"但是呢，你们仔细看过这个娃娃之后，也会明白为什么叫飞翔恋偶，因为它有一个很特别的地方，你们看到没有，它有一个背包……"

"看到啦，可是很多娃娃都有背包啊。"淑琪睁大眼睛说。

烦死了，你们能不能不打岔？我心里默默地念叨了一句，然后说："这个背包跟别的背包不一样噢，你们看到没有，这根飘带，系成了一个活结，要是我轻轻地拉一下……"

我拉开那根飘带，透明的翅膀再次伸了出来，尽管不是第一次看到了，心里还是觉得好奇妙。至于旁边的观众……"哇！""天哪！好漂亮噢！""这……这是什么东西？"

"小华，这个娃娃哪里有的卖？我好想去买一个噢。"淑琪摇摇我的手臂。

"对啊，我也想买一个。"美珍说。

"抱歉啊，目前还没有地方能买到，可是我朋友说，下个星期百货公司就有得卖了。"我说。

"哪家百货公司嘛？"

"不知道，等我知道了一定会告诉你们的啦。"我说。

同事们不甘心地散开，小宝笑着说："很成功的展示会嘛，吴宇凡应该请你做推销的，呵呵。"

"少来了你。"我瞪了他一眼。

刚刚回到工作间，AD拿着一堆资料跑过来说："又有新案子了，你们先看一下资料，有什么问题再问我。"

"好的。"虽然早知道案子永远是做不完的，但是难免有些沮丧，所以回答得有气无力。

AD 拍拍我的头，"振作一点啊，昨晚是不是没睡好啊？"

"哪有？我精神好得很。"我不服气地说。

不管怎样，该做的还是一样要做完。小宝微笑着看一看我，又把头埋进设计稿，像一只大鸵鸟。这个家伙，有时候真的像个工作狂，不知该怎么说他好。我叹了一口气，打开电脑，顺手把娃娃摆在桌子上。

觉得累了，就抬头看看娃娃，若兰的眼神还是那么坚定，这样，我的精神也跟着振作一下，然后拖着疲惫的心和身体，继续工作。反正工作是永远做不完的，急也没用，我这样安慰自己，呵呵，要偷懒的人总是能找到借口的。

上班族对时间有着特别的看法，比如上班的时候，时间以小时为单位，一步一步接近下班；下班之后，时间又以天为单位，一步一步接近着周末；周末的时候，时间又以周为单位，一周又一周，很快就是发薪日啦！

数了几个小时，终于下班了。不知道为什么，慢慢地，对工作没了当初的热情，也许是因为人长大了吧。不再那么单纯，以为做好工作就什么都没问题，长大的人会觉得，工作只是生活的一小部分，应该认真，但绝不是生活的全部。

回到家，给梅芬打了个电话，这小妮子居然在加班，怎么搞的？梅芬好像没这么勤奋吧？算了，等她下班再说吧。挂掉电话，

坐在沙发上，开始例行的发呆。不如看看电视吧，一直发呆也不是办法。

特意挑了几个综艺节目来看，没什么，就是比较热闹的嘛，不会哭哭啼啼地煽人泪水。一两个小时过去了，渐渐觉得没什么意思。怎么办呢？还好这个时候敲门声响了起来，一定是梅芬！

打开门，梅芬撅着嘴走进来，倒在沙发上，"啊——好累啊！"吓了我一跳。

"喂，别这么夸张好不好？"我不满地说。

"一点也不夸张啊，"梅芬瞪着眼睛说，"真的是好累。"

"哼，有那么累吗？我可是有加班晕倒的纪录噢……"我说。

"好了好了，不如你变态行了吧？"梅芬嘀咕着说。我泡了一杯奶茶递给她，顺便给自己泡了一杯。

拿起遥控，把电视的音量调小了一点。"你怎么看这么无聊的节目啊？"这小妮子的意见超多的。

"就是无聊嘛，也没什么事做。"我嘟囔着，喝了一口奶茶下去。

梅芬抓着我的胳膊一阵乱摇，"嫉妒死你了，还有空无聊？你知不知道我……"

我赶紧逃开，"好了啦，我有样东西要给你看。"快点岔开话题，不然的话，这小妮子不知道要诉苦诉到什么时候。

"什么东西？"梅芬睁大眼睛。

"嘿嘿，你等等啊。"我对她眨眨眼，转身走进房间，把娃娃拿出来，藏在身后，"当——当当当，那，就是这个。"

梅芬的眼睛一下子睁得更大了，"这是什么啊？"拿过去仔细看了一会，忍不住大笑起来，用手指着我说："这个……这个是你做的吗？哈哈……"

"才不是呢，我可没这么厉害，你猜猜是谁做的。"我笑着说。

"小宝吗？这家伙这么古灵精怪的……"梅芬说。

我顿时哭笑不得，"什么嘛？他怎么会做这种东西？"

"那……是绍平？不对啊，他肯定不会做这个的……"她自言自语，念念有词的样子超可笑的。

"哼，算你聪明，当然不是绍平做的。"我说。

"那到底是谁做的嘛？喂，小妞，快点告诉我吧，快点快点。"梅芬抓着我又是一阵乱摇，我头都晕了。

"好了好了，我告诉你了，是吴宇凡和佳涵做的……"实在拿她没办法，只好坦白算了。

"哈，这两个家伙啊？我就说嘛，到底是谁这么了解我，原来是吴宇凡这个混蛋。"梅芬笑着说。

"对了，你肯定没注意这里吧？"我跟她示范了一遍把翅膀打开的动作，这小妮子顿时乐不可支，摇着我的胳膊说："很可爱是

不是？呵呵。"

"是啊是啊，因为你本来就很可爱嘛。"我说。

不知道什么时候，梅芬注意到我摆在客厅的那个娃娃，又叫了一声："原来你也有一个啊！"跑过去拿起来，翻来覆去地看，然后拉开背包上的带子，"哈哈！"早就知道她会这么笑了，哼！

"吴宇凡这家伙，太了解你了，哈哈！"她笑个不停，"我是小华，我很懒，我爱睡觉，不爱飞，哈哈！真的好像你噢小华，比我那个还像。"

"好了啦，还给我。"我从她手里把我的娃娃抢回来，"那，你拿你的，我拿我的，还有，不许笑我，听到没有？"

"呵呵，好了好了，"梅芬抚着胸口说，"哎，最近工作怎么样？还顺利吗？"

"还可以啦，跟以前差不多罗，没什么特别的嘛。"我说。

"小宝呢？他还好吧？"梅芬问，表情怪怪的样子。

"很好啊，哎，我说，你这么关心他干吗？你不是已经有毅东和黄子扬了吗？最近黄子扬有没有跟你联系？"我赶紧把话题岔开，这小妮子罗嗦起来又没完没了了。

"有啊，大家是朋友嘛。"梅芬说，语气听起来很轻松。看来，她已经做出决定了，大概是让黄子扬伤心的决定吧。

"噢，他还好吧？"我说。

"一般吧，心情不是很好，他说过两天就回美国了，什么时候大家一起吃顿饭吧，给他送行。"梅芬说。

"嗯，好的。"我点点头，心境突然之间陷入沉默，不再想说话了。梅芬也适时地沉默着，房间里一下子有了忧伤的空气，那种透明的忧伤，不会让人喘不过气来，只是一点淡淡的遗憾吧。我下意识的看了看左手。

"对了，这个星期天大哥要我们聚会，还是在老地方，大家也好久没聚过了，现在每个人都越来越忙了……"梅芬说。

"啊，好啊，真的好久没见过大哥了，他还好吗？对了，他的女朋友，叫什么来的？"我又兴奋起来。

"茵琪，你记性真坏。"梅芬没好气地说。

"噢，对了，是叫茵琪，他们都还好吧？"我说。

"当然好了，没理由不好的，对不对？"梅芬笑着说。

喝光手里的奶茶，收好杯子，梅芬就伸着懒腰要走了，"我要赶回去睡觉啦，你也早点睡噢。"

"好了啦，这么罗嗦。"我拍拍她的肩膀。

送走梅芬，差不多11点了。洗完澡，懒懒地躺到床上。头脑又纷乱起来。生活好像越来越复杂了，以前总是只想着一个人，现在却想着好多个人。想起小宝，梅芬为什么提起他呢？这小妮子到底在想什么？不知不觉，难道他已经在我的生活里变得越来越

重要？吴宇凡和佳涵也老是提起他，而我，是不是真的受了他们的影响？越来越频繁地想起他。怎么搞的？恍惚中又看到那张笑脸，笑容背后隐藏着什么？我永远不可能知道，或者说，我从来不曾用心去了解。忙着关心自己，对身边的人一向漫不经心，我还要继续这样下去吗？还是说，刻意地在逃避，逃避什么呢？不要想了，心里泛起熟悉的疲惫感，想起梅芬说的话，真的好累啊，真的。莫名其妙的，有点想哭的冲动，可是这冲动只存在了一瞬间，还来不及酝酿出行动，就飞快地消散了。剩下的都是些难言的情愫，无法表达，无法整理，乱乱的。还是不要想了吧，再次告诫自己。用被子蒙上头，今天就到此结束，准备迎接新的一天吧。

10

Waiting for a cup of Hot Milk Tea

再见，昨天

第二天照常上班，下班，生活跟从前一样。一天一天的数过去，很快就到了周末。周末对我来说，就是无所事事的代名词。就像这个早晨的阳光，明亮而且空洞。星期六，我坐在床上，想着该不该起床，这时候阳光已经照到每一个角落，当然我的卧室除外。

对了，去逛逛百货公司吧，说不定能看到我们的飞翔恋偶。再说，身为女孩子，我已经好几个月没逛过街了，这怎么都有点说不过去吧？不过在逛街之前，要先养好精神，所以，还是再睡一

会儿吧……

昏昏沉沉地睁开眼，应该是中午了吧。看了看闹钟，噢，12点了，该起床吃午饭了。摇摇晃晃走到洗手间，洗脸，刷牙。回到客厅，打开冰箱看了看，空空的，跟我的肚子一样。好麻烦，还要换衣服出去吃饭。没办法，总不能躺在家里挨饿吧？

在衣橱里翻了一会儿，其实也没什么可翻的，来来去去就是那么几件，想到吃完饭还要去逛街，就挑了一件橘黄色的衬衫，下面嘛，嗯，就是这个，水磨蓝的牛仔裤。这么搭配了一下，照照镜子，真的很不错哎，简直不像是我。（马的，怎么这么没自信？）

走到隔壁街上，吃了一碗鸭肉冬粉，行程完成了一半，剩下的就是逛街了。去哪里逛呢？还是不要走太远了，就去西门汀吧，也就20分钟的路嘛。

周末的人们都不甘心留在家里，尤其是女孩子，想一想嘛，连我这样的人也穿得整整齐齐出来逛街，还有谁会待在家里？一路上东张西望，看到Nike的专卖店就想进去看看，突然想起，没把背包带出来，也就是说，口袋里只有一百几十块钱，看了也是白看。心情一下子变得沮丧，怎么搞的？老是丢这个丢那个的，真是没用！算了，随便找一家百货公司逛逛吧，大不了什么也不买，哼，逛街也要逛得有个性一点。

正在四处寻找目标的时候，突然有人从背后拍了一下肩膀，

"小华！"我吓了一跳，回过头来，天哪！是怡君！世界真的好小噢。她穿一件黑色的紧身T恤，短裙也是黑色的，看起来成熟性感得要命。脸上满是惊喜的表情，身边一个男人提着一大堆袋子和包包，也对着我露出笑容，我想想，好像是她老公吧？而且，看样子应该是个模范老公。

"怡君?! 怎么是你？太巧了，你也在逛街吗？"我也变得开心起来。

"是啊，真的没想到。这么久没见，小华你越来越漂亮了噢。"怡君笑着说。

"哪有？你又在笑我，你才真的是漂亮呢。"我不好意思地说。

"呵呵，我是说真的，"怡君拉着我的手，侧过头对她的模范老公说："老公啊，你不是说要买领带吗？你自己去买吧，我陪朋友说会儿话好吗？"

"噢，好的好的，你们慢慢聊啊，我先走了。"他对着我点点头，转身走去，手里还是拎着一大堆袋子。

我忍不住捂着嘴偷笑，"你老公还真听话嘛。"

怡君牵着我的手往前走，"什么听话嘛？应该说比较好说话，呵呵。我们找个地方坐坐吧。"

走到一家咖啡厅门口，我们进去找了个位子坐下来，我叫了一杯冰拿铁，因为以前看阿问喝过啊，而且在咖啡厅喝奶茶也不

大好吧。怡君叫了卡布奇诺。

"最近忙些什么啊？"怡君先开口发问。

"老样子嘛，还是做广告什么的，你呢？"我说。

"我的生活就比较单调啦，做家庭主妇罗，很枯燥的。"怡君闷闷地说。

我耸耸肩膀，"唉，人家不知道多羡慕你的生活呢，你还嫌枯燥，不要太贪心了好不好？"

"哪有？小华你别安慰我啦，你怎么会羡慕我的生活呢？你不是这样的人，怎么说，我还算是很了解你的嘛。"怡君说。

是吗？我是怎样的人，自己也不清楚。可是她说的又好像有点道理，我羡慕什么样的生活呢？这个问题我想也没想过。

"也许是吧，可是你的生活的确没什么不好啊，就是生活太好，你才会觉得单调吧？"我用手支起下巴，问怡君。

怡君露出无奈的笑容，"大概就是这样子吧，你呢？觉得自己的生活好吗？"

我摇摇头，"说不上来，无所谓好不好吧。反正，我觉得现在这样就可以了，不想换另一种生活。"

"对啊，你还是活得很开心的，我就不一样了，老是后悔太早结婚，没办法，现在也只能这样了。"怡君的脸上有一层淡淡的忧伤气息，这个表情对我有点陌生，印象中的她总是大悲大喜，起落得非常厉害，从没见过这么含蓄的时刻。

"呵呵，不是有人说吗？要是人生能重来一遍，几乎所有人都不会选择现在走着的路。"我笑着说，试图冲淡一点忧伤。

"是啊，谁都会发发牢骚的，呵呵。"怡君的脸色渐渐明朗了一些，"对了，我记得上学的时候，你好像从来不逛街的，现在变化可真大啊。"

"人都会长大的嘛，你也是啊，上学的时候你可是没老公的。"我说。

"哈哈，"怡君笑着说，"说的也是，"眼光瞄到我手上的戒指，神情有点异样，"人都会长大的，过去的事情就让它过去算了，不要想的太多啦。"

"嗯，我明白。"我点点头，然后对着她绽开笑容，"你也一样噢。"

"是啊，对了，以前的同学都怎么样了？我好久没跟他们联系了……"怡君说。

"这个就说来话长啦，梅芬还是老样子，吴宇凡在做娃娃，大哥找了个女朋友……"

不知道在一起聊了多久，那种感觉真好，好像是一夜之间，怡君身上曾经的冰冷消失了，剩下的只是温暖，就是老朋友一样的那种温暖。时间改变了一切，一同经历过悲喜的人最终会坐在一

再见，昨天

起，在这样的下午，像我们一样，聊一些无关紧要的话题，让寂寞和寒冷远去。是吧，人都会长大的。一夜之间长大的我们，也会越来越平静了吧。

怡君的手机响了两声，应该是有新讯息吧。她看了一下，然后说："我老公在等我，我要走了，小华你的电话是多少？"

交换了电话号码，我们走出咖啡厅。站在充满阳光的街道上，我们互相说再见，脸上的笑容一样灿烂。

回家的路上心情格外轻松，虽然没见到吴宇凡的娃娃，可是见到老同学，比什么都开心啊。我散散漫漫地一路走着，想着一大堆不相关的事情，不知道为什么突然想起若兰，也许是觉得她跟怡君很相似吧，都有着极端的性格，为爱不顾一切，容易恨，也容易原谅。而我却跟她们正好相反，软弱，犹豫，唉，也许正因为这样，我才羡慕她们，喜欢她们。但愿有一天我也能坚决一次……

回到家，接到吴宇凡的电话，明天聚会。无所事事，打电话给梅芬，她却说要跟毅东出去看电影。重色轻友的死丫头！存心气我是不是？最过分的是，她还这么罗嗦，"明天早点起床噢懒虫，别让大家又等你大半天。"

什么嘛？心里暗暗骂了她两句，又在电话里嗯嗯啊啊了几句，挂掉电话，继续无聊吧。要不去睡觉算了，不过8点钟是不是太早了一点？不管它，早睡早起嘛，明天让他们好好看看，到底谁是懒虫。

怀着无比的决心躺到床上，翻来覆去到9点左右，不知道什么时候就睡着了。

睁开眼，还是照例的阳光普照，看看闹钟，居然才8点，心里一阵狂喜，呵呵，这下可不会迟到了吧。悠哉游哉洗漱完毕，坐下喝了一杯奶茶，还叹了几口气，然后慢慢拿起电话。

"喂，梅芬你个大懒虫！还不起床啊？"

"见鬼了吧？你真的是小华吗？你是不是一晚没睡啊？声音这么亢奋的……"梅芬半梦半醒地嘟哝着。

"呵呵，那是因为我不用出去看电影，所以睡眠充足嘛，别罗嗦了，快点起床，我在楼下等你们噢。"我得意地说。

跑到楼下买了两个面包，站在大堂门口边吃边等，20分钟之后，梅芬和毅东这两个懒虫才出现。"这么慢的？快一点啦，别让大家等嘛。"我说。

"拜托放过我啦，让我先吃个早餐好不好？"梅芬有气无力地说。

吃完早餐，毅东开车带我们来到霞云坪。大哥和吴宇凡他们早就过来了，远远地对着我们挥手。等一下，吴宇凡旁边站着的是谁？小宝？不会吧？这家伙怎么也跑来了？

我跳下车，跟大哥他们打了招呼，走到小宝身边，"喂，你这么跑过来啦？"

再见，昨天

　　"宇凡叫我过来的啊，怎么？不欢迎啊？那我回去好了……"
小宝说。

　　"谁说不欢迎你了？别扭扭捏捏的嘛。"我没好气地说。

　　"呵呵，我就知道你会欢迎我的，你还欠我一顿饭呢，这次就
补回来吧。"他笑着说。

　　真拿这个家伙没办法，脸皮又厚，记忆力又这么好。算了吧，
不跟他计较了。我跑到茵琪身边，"几天不见，茵琪越来越漂亮了
噢，再这样下去，大哥可配不上你啦。"

　　"小华你说什么啊？"大哥瞪着我说，茵琪在一边抿着嘴偷笑。

　　大哥指挥我们把东西从车上搬下来，手忙脚乱了一番。"喂，
小华，你去那边捡点树枝过来吧。"大哥说。

　　"什么嘛？大哥你是不是公报私仇啊？干吗要我去嘛。"嘴里
嘟哝着，还是不情不愿地去了，没办法，谁叫他是老大？

　　"喂，小宝，你愣着干吗？去帮忙啊，小华一个人怎么行？真
是，一个比一个懒。"吴宇凡把小宝推了过来。

　　要他来帮忙？哼，那还不是越帮越忙。我心里想，不过多一
个人总是好的。

　　沿着树林转了一圈，收获还算不少，两捆树枝应该可以烧上
一阵子了吧。当然，搬运工作就交给小宝同学了，今天他还蛮听
话的。

四周的风景跟从前一样，人却不一样了，上次在这里是跟绍平一起吧，对了，那次黄子捷也有来。溪水边的草丛依旧青翠，野花散落在中间，有时还能看到蝴蝶飞过。我转过身，看到小宝抱着两捆树枝，往树林外走去，身影略微有些摇晃。心里突然被什么触动，我低下头。跟在他后面，走出去。

一切都准备就绪了，我们分开几个火堆烤肉，小宝跟我分到一起，怎么搞的？他们……

小宝坐在我旁边，专心地烤鸡翅膀，我呆呆地看着，打算等他烤好了，再厚着脸皮找他要过来。一阵特别的香味从火堆上面升起，大概烤熟了吧。小宝把烤好的鸡翅递给我，我愣了一下，然后接过来。他继续烤下一个，火光映着他的脸，神情格外专注，不知道为什么，今天总觉得他怪怪的。

"你们的原料够不够？"梅芬抱着一个箱子过来，放到我们旁边。这小妮子今天也不大正常……

我转过头看了一眼，他们的火堆都离得好远，我面前的这个，看起来格外突兀。什么意思嘛？他们……低头看看左手，有什么东西在闪光，心在一瞬间乱掉了。

我站起来，"我的头好痛，我要先回去了。"小宝呆呆地看着我，"噢，那我送你回去吧。"

"不用了，我叫毅东送好了，头痛不能吹风的。"我说。

毅东也站起来，手足无措的样子。"拜托你啦，毅东，我头真的好痛！"

"那要不要送你去医院？"毅东说。

"不用了，我家里还有药，吃点药睡一觉就没事了。"

跟所有人说了很多句不好意思之后，坐上毅东的车。回到家里，躺到床上，头好像真的有点痛。

我不该这样的，心里莫名其妙有点后悔。这样坚决的逃避，肯定会伤害到别人，在场的所有人都会觉得不开心吧。可是置身那样的场景，我的本能就是逃开，不知道在害怕些什么。可能是因为那个地方，勾起许多记忆吧，而且这些记忆大多是灰色的，让人没来由的恐惧。我真的是怕，突然在众人眼前落泪，我怕把脆弱的心暴露在阳光下面。我要逃开，一定要逃开…

门铃响了起来，我懒懒地起身去开门，可能是梅芬吧，这小妮子不知道又要罗嗦什么了。打开门，门外站着的却是小宝，他脸上有一丝苦涩的笑容，从来没见过他这样的神情，到底怎么了？

"别误会，大家都不放心你，所以叫我过来看看，不欢迎吗？"他说。

"哪有？进来坐吧。"我说。

他坐到沙发上，开始东张西望，这个样子反而让我欣慰，这才是我熟悉的小宝。我走过去，帮他泡了一杯奶茶，他接过来，一口灌了一半下去。我脸上泛起笑意，看到这个家伙，心情总是会变好一点的。

他"咦"了一声，站起来，朝着墙边的柜子走过去，拿起那个娃娃仔细看。

"喂，放下，不许看！"我大声说。

"别这么小气嘛，看看而已。"他对我的警告置之不理，继续看那个娃娃。我走过去，打算从他手里抢过来，可是这家伙反应快得要命，我试了几次也没成功。最可气的是，他居然拉开绳结，看到了那两行字，"哈哈"一阵大笑，跟我想像中的反应一模一样。

"我生气啦！我真的生气啦！"我鼓着嘴坐到沙发上，睁大眼睛瞪着他。他赶紧把娃娃放下，坐到我旁边，"对不起对不起，别生气嘛，这样吧，我再请你吃一次饭好不好？"

"我才不要你请呢，免得你一天到晚记着人家欠你几顿饭。"我不以为然地说。

"这样子啊？你要我不记着也很容易嘛，那，我再请你一次，你把这个娃娃送给我好不好？"他看着我，表情像是开玩笑，仔细看又不太像。

见鬼了！怎么可能嘛？这个娃娃就是代表小华我的，要是送给他，那不就是……我瞪着他说："想得美！不给你，就是不

给你。"

"别这么小气好不好？你看我真的是很有诚意的噢，真的，你叫我拿什么来换都可以。"他盯着我说。

心里一阵莫名的悸动，怎么了？我摇摇头，试图离开这纷乱的情绪。"不行不行不行，我头好痛，我要睡觉啦。"

小宝耸耸肩膀，从沙发上站起来，"小华，试着大方一次好不好？那，别生气了，我马上就走，马上走，拜拜，你要保重身体噢。"

送走这个家伙，我躺到沙发上，突然有喘不过气来的感觉。天哪！到底是怎么了？我不要，什么都不要，让我一个人安安静静待着好不好？平静了这么久，今天一下子涌过来这么多冲击，我无所适从，只想赶紧逃开，到一个没人的地方慢慢收拾心情。可是不行啊，我还要上班，我一定要面对他，逃也逃不掉的……

不管那么多了，去睡觉吧。可是才刚刚下午两点哎，怎么睡嘛？而且心里这么烦，怎么可能睡得着？先去洗个澡吧。洗完澡，给自己泡一杯奶茶，坐下，深呼吸，心情就慢慢平静了。走到阳台，看看天空流云，让风吹到滚烫的脸上，这样子，就好多了。

电话突然响起来，难道又是他？忐忑不安地走过去拿起电话，一个陌生的声音。

"小华，我是绍强啊。"

原来是他，心跳放缓了一点，"噢，是绍强啊，你还好吧？"

"还好啦，你最近忙吗？"

"也不是太忙啦。"我说。

"是这样子的，嗯……最近……有个女孩子老往我哥那里跑，我想……你应该去看一下。"绍强嗫嚅着说。

这个家伙，不知道该怎么说，坚定不移地要把我和绍平绑在一起，对他我总是无可奈何。不过要是真的有女孩子找绍平，我应该替他开心吧。

"好了啦，我会去看的，今天就去好不好？"我笑着说。

"好好好，太好了，我哥现在应该在家的，你现在过来就能看到他。"绍强压抑不住的开心。

"好吧，我现在就去了噢，你就等着听我的好消息吧，呵呵。"

一下子变得好开心，应该是因为绍强吧。另外也是为绍平高兴，他终于找到归宿了，不管怎样，我的负疚感减轻了一些。

现在就去吧，反正下午也没什么事。骑上摩托车，去龙潭的路上，我一直在猜想那个女孩子的长相，最好是这次就能碰到，呵呵，这样绍平想抵赖也没办法了。风吹过来，夹着一丝暖意，我也觉得格外轻松。两边的树林和稻田，似乎比以前更可爱了。阳光也没那么刺眼，刚刚好，一点点明亮，一点点温暖。

很快就看到那条熟悉的路，那个院落还是远远地横在前方，从我的角度看过去，好像格外宁静。把速度放慢，轻轻地来到院

再见，昨天

子门口，把车放好。院里的桑树已经开始落叶了，原本就孤零零的树，现在更显得凄楚。不知道为什么，每次看到这棵树，心就没来由的一阵刺痛。但愿院里的人不是这么孤单吧。

绍平的房门虚掩着，里面应该有人。我轻轻走到树下，透过窗户就能看到绍平的侧面，他坐在书桌后面，一动不动地发呆，顺着他的视线，桌面上放着一个粉红色的发夹。我捂住嘴，眼泪悄悄流了下来。那是小茹的发夹，带着一段撕心裂肺的回忆。我曾经以为绍平已经渐渐淡忘了，可是眼前的他，分明还在被往事折磨，而我心里的恶魔，也在这一瞬间活了过来。

我转身离开，走到院子外，站了一会儿，擦干眼泪，又走了进去。"绍平？绍平你在吗？"我大声叫着。

"小华你来了啊，"绍平微笑着从房间里走出来，神情看不出一点起伏。

"是啊，今天有没有空钓鱼？"我笑着说。

"呵呵，当然有空，你等等啊。"绍平转身走进房间，5分钟之后，已经是一副渔家少年的打扮。草帽，蓝格子衬衫，泛白的牛仔裤，还有古铜色的皮肤，好像从不曾经历过忧愁的孩子。

湖边依然宁静，跟往常一样，绍平钓鱼，我坐在一边东看西看。有时候忍不住会想，他的平静是不是一种假象？只是为了让我安心。他就是这样的人啊，宁愿自己受伤，也要小心保护身边的人远离伤害。可是这虚假的平静，又怎么能让我安心呢？绍平啊，你为什么不快乐一点？为自己活一次好吗？不再顾虑别人，就跟我这个自私的小女人一样，只为自己的快乐生活，这样不是也很好吗？为什么总要背负那么多那么沉重的过去？你是天使啊，应该在天空轻灵地飞翔，而不是在地上步履蹒跚，承担不该你承担的伤痛。

不知道什么时候又睡着了。绍平叫醒我，我们沿着那条走了好多次的路，去找老张。老张的笑容还是那么温暖，他的糖醋鱼也永远不会让人失望。不同的是，这次我叫老张拿了两罐啤酒出来，递给绍平一罐，自己拿一罐，大声说："绍平，跟往事干杯吧！"

绍平愣住了。我举起啤酒罐，一口一口地喝下去，直到喝光为止，"来，喝光它，然后把往事都忘了吧，我们都要好好地活下去，活得开心一点，明白吗？"不知道为什么，眼睛有些湿润，是因为酒精的关系吧。

绍平点点头，把啤酒喝下去。

突然有一种从未有过的彻悟，是的，过去的就让它过去吧，我们是为明天活着的，昨天只是一张张图画，早已画就，慢慢地看过去，有的令人开心，有的令人落泪，那都与今天无关了。

跟绍平和老张说完再见，我骑车回家。从现在开始，我要努力什么也不想，或者说，只想明天的事情。

11 *Waiting for a cup of Hot Milk Tea*

绝版礼物

新的一周又开始了，虽然已经下定了决心去面对一切，可是想到小宝……还是有些忐忑不安。

走进办公室，出人意料的是，小宝居然不在，不会吧？他一向来的很早噢，今天……

"喂，小华啊，"人事部的美珍叫了我一声，"小宝今天请假了噢。"

"噢，"我点点头，"知道了。"

莫名其妙的，心里竟有一些牵挂。我究竟怎么了？

平平淡淡的，一天就这么过去了。晚上待在家里，也不知道该做些什么。洗完澡就睡觉吧，但愿不要做梦。

天亮了，起床的时候闹钟还没响。走出公寓，空气里有一层薄雾，朦朦胧胧，看什么都模糊不清。等太阳出来就好了，阳光会穿透一切，照亮一切，那时候自然就能看清楚道路。在街边吃完早餐，随意逛了一圈，反正还早嘛。走到一半又兴味索然，转回去，推出摩托车，去公司吧。

走进办公室，空荡荡的没什么人，看来确实是太早了。工作间那边传来窸窸窣窣的声音，是他吗？不知道为什么，心跳竟有点加速。马的，我到底是怎么了？

深深地吸一口气，我走过去，"喂，这么早就来了，昨天死到哪里去了？"

"呵呵，你猜猜看？"小宝满脸神秘的笑容。

"懒得理你，哼，请假居然也不跟我说一声。"说完又有些后悔，大概是心虚的表现吧。

"当——当当当。"他拿出肥皂剧里惯用的声调，从身后拿出一个大盒子，"送给你的，打开看看吧。"

我用怀疑的眼神盯着他，"没事送东西干吗？无事献殷勤，哼。"

打开盒子，里面居然是一个娃娃，娃娃的样子……这个神情……对了，很像小宝。外套上印了一个大大的HOT，里面的T恤也隐约有一行字。我又瞪了他一眼，"搞什么鬼啊你？"

把外套打开，T恤上印着一行英文：Milk Tea Inside！我顿时愣在那里，不知所措，不知道该哭还是该笑，忍不住给了小宝两拳，这小子太可恨了。

"这个是我亲手做的噢，"小宝笑着说，"叫做奶茶小宝，绝版的，全世界只有这么一个，呵呵，开心吧？"

"你……你……"我张口结舌，原来这个混蛋请假就是为了这个。可是真的好可爱哦，这个娃娃！算了，我就收下吧。我板起脸说："哼，这个呢，我就先替你保管，以后可不能做这种事了，听到没有？"

"呵呵，你说话好像国中老师哎，好了啦，你说什么我都听你的，行了吧？"这个家伙嬉皮笑脸的，一点诚意也没有。

"这才乖嘛！"我笑着说。

"不过你可不能白白地拿，要拿东西来换的噢。"小宝说。

"换？拿什么换？哼，让我考虑几个月再说。"我没好气地说。

下午接到梅芬的电话，约我晚上一起吃饭，"毅东亲自下厨噢！"她说，"他的比赛赢了，下个月就去日本。"

"真的啊？太棒了。好了好了，我一定到的啦，7点钟，好的，到时候见吧。"放下话筒我就开始想像，车手毅东待在厨房里是什么模样？真想看看，对了，我早点过去，在旁边观摩一下，嗯，我6点30分就过去好了，今天一定要早点下班。

"晚上又有约会啦？"小宝很八卦地问我。

"关你什么事？你好烦啦。"我没好气地说。

接下来就是等下班啦，我看了看钟，5点30分了，嗯，找点什么事来做一个钟头呢？我看看小宝，"你手头的工作怎么样了？我帮你做一点吧。"

"啊？怎么突然对我这么好？"小宝露出怀疑的表情。

"我不是一向都对你很好吗？"我说。

"噢，是噢，我差点忘了，呵呵。"他又露出一脸可恨的笑容。

有事可做，下班时间很快就到了，我停下手里的鼠标，关上电脑，把那个娃娃塞进包里，"喂，今天又要辛苦你啦，我先走了噢。"

"好了好了，我知道啦。"小宝笑着说。

飞速赶到公寓楼下，刚刚6点15分，这次的速度应该创纪录了。放好车赶紧上楼，跑到梅芬的门口，刚准备摁门铃，不过又想到，这小妮子去我家从来不按门铃的。"嘭嘭嘭"干脆也学她好了。

"来了来了，是小华吧？"隔着门就听到梅芬的声音。

走到客厅里面，我东张西望了一会儿，"毅东呢？"

"在这儿呢。"毅东的声音从厨房传了出来。

"恭喜你赢了比赛。"我笑着说。

"呵呵，谢谢谢谢，多谢捧场啊。"毅东说。

梅芬插嘴说："什么嘛，她根本就是对你的厨艺不放心，所以

要在一旁监视。"

"喂，你不要挑拨离间好不好？我可是真心来观摩学习噢，不像你，一点进取心都没有。"我忍不住反驳她。

毅东见势不妙，赶紧躲进厨房忙他的去了。

"哎，给你看一个好玩的东西。"我从包里把娃娃拿出来。

梅芬拿着娃娃研究了半天，"这个……你不觉得有点像……像谁啊？我想想。"

"像小宝是吧，哈哈，这个就是他送给我的。"我得意地说。

"真的？"梅芬惊讶地说，"他终于向你示爱了？"

"什么嘛，示什么爱嘛，你不要胡说八道。"我瞪着梅芬说。

"天哪，这不叫示爱叫什么？Milk Tea Inside，不要告诉我你看不懂英文好不好？"梅芬叫得好大声，毅东也从厨房里把头伸出来，"怎么了？谁跟谁示爱啊？"

"不关你事啦，别那么八卦。"梅芬斥责毅东，这正好也是我想说的话。

"可是……这也证明不了什么啊？"我的声音变小了一点，难道我心虚吗？

"那，他就是你的热奶茶，就是这个意思对不对？"梅芬看来要跟我纠缠到底了。

"好了啦，不跟你说了，我去看毅东做饭。"我站起来准备逃开。梅芬一把拉住我，"哼，想跑啊小妞，没那么容易。我问你，你对小宝印象怎么样？老实回答我！"

我真是怕了这小妮子了，没办法，可是这个问题也太难回答了吧？叫我怎么说好呢？

"这个……反正不讨厌就是了。"我嗫嚅着说。

"那你跟他待在一起的感觉怎样？"梅芬简直就是在讯问囚犯。

"我说不出来，反正有时候很生气，有时候又很开心，就是这样了，梅芬你放过我吧！"我可怜兮兮地看着她。

她松开我的手，若有所思的样子，"有时候生气，有时候开心，这是爱人之间才有的感觉啊，其实你喜欢他的对不对？"

我摇摇头，不是！我在心里大叫。怎么可能？不会的，肯定是弄错了。

"你真的好烦啊。"我从她手里把娃娃抢过来，塞进包里。出人意料的，梅芬也不再谈这个话题了，开始跟我扯什么化妆品之类的，真不知道这小妮子心里在想什么。

"开饭啦。"毅东叫了一声。马的，都忘了到厨房观摩了。算了，用嘴巴观摩也是一样。

毅东的厨艺真的很棒，根据我的观摩，绝对在佳涵之上，当然更加远远的在我之上。梅芬拿出一瓶红酒，我们喝光了它，最近我的酒量越来越厉害了，再过几年应该就是台湾第一了，呵呵。

这一晚睡得特别沉，大概是因为酒的关系吧。

无所事事的周末又到了，在床上赖了一个上午，下了几次决心才爬起来。阳光普照，天气不错啊。我伸了个懒腰，去洗完脸，又懒懒地坐到沙发上。做什么好呢？

我打开电脑，还是先收电邮吧。竟然有一封新电邮。我点下读取按钮，发件人是阿问！天哪，太好了！

"小华，你过得还好吗？抱歉这么久才给你回信。这段时间总是颠沛流离，难得有时间静下来。我现在布宜诺斯艾利斯，若兰在我身边。

若兰说一定要谢谢你，如果没有你，就没有我们的重聚。我也觉得是，谢谢你的热奶茶魔法。或者说，单是谢谢已经不能表达我们的心情，相信你能体会得到。

我和若兰打算年底回来结婚，你看，我等了那么久，天使终于被我等到了。小华你呢？你和你的天使怎么样了？

台湾的天气应该开始变凉了吧，你要注意身体噢，等我们回来，不知道有多少话想跟你说。

好了，就先不说了吧。等下次见面再说，好吗？"

电邮附带了一张照片，若兰依偎着阿问，脸上的笑容幸福而且灿烂。阳光应该是布宜诺斯艾利斯的吧？从来没见过阿问笑得这么开心，忧郁不见了，这样也好。

我呆呆地坐着，努力克制想流泪的冲动。真傻，为什么要流泪呢？可能是太开心了吧？见证了他们之间那么多的磨难，终于为他们见证了幸福的时刻，这种感觉真好。他们的幸福我也有份，对不对？天使飞在一起了，多好。

相爱的终会相聚，这是我的信仰。没有什么能阻止爱的汇聚，这也是上帝刻意的安排吧？留给我们一个幸福的可能性，这样就够了，剩下的就靠自己啦。

手机嘟嘟响了两声，有新讯息进来。我按了一下读取。

"天使，出来晒晒太阳吧，不然翅膀会发霉的哦，我在楼下等你。"

是小宝！我拉开窗帘，把头伸出去张望，小宝戴着一副滑稽的太阳镜，对着我拼命挥手，样子超好笑。

我到洗手间对着镜子端详了一会儿，笑容从嘴角浮起，扩散到整个脸庞。这样的我还不算难看，呵呵。我在客厅转了一个圈，证明身体也还正常。摘下手上的戒指，放在桌上，打开门，走出去。

好·美·的·阳·光！

绝版礼物